JN048474

マナーはいらない

小説の書きかた講座

三浦しをん

SHION MIURA

集英社

ようこそいらっしゃいました——まえがき

本書は「ＷｅｂマガジンＣｏｂａｌｔ（コバルト）」で連載していた、「小説を書くためのプチアドバイス」を一冊にまとめたものです。単行本化にあたって、書き下ろしやコラムを加え、『マナーはいらない　小説の書きかた講座』というタイトルに改めました。

そもそもなぜ、「小説の書きかた」について、私のごときものが連載することになったのか。

そう、あれは十四年ぐらいまえのことじゃった……。と自分で書いて、「え、十四年まえ⁉」って驚いたのですが、「コバルト短編小説新人賞」の選考をやらせていただくことになったのです。

コバルト短編小説新人賞は、「原稿用紙二十五〜三十枚の短編」という応募規定で、小説家になりたいかたが昔もいまも熱心に投稿してくださる、歴史の長い賞です。短編小説新人賞を受賞したのち、長編部門にも挑戦し、プロデビューして活躍なさっているかたが大勢おられます。コバルト編集部のみなさん（十名ぐらい）と私は、二カ月に一度集まって、最終候補作について毎回激論を戦わせてきました。「ひとそれぞれ、いろんな解釈や読みがあるんだなあ」

と、とても楽しく勉強になるし、なによりも、渾身（こんしん）の作品を投稿してくださるかたばかりで、選考会のたびに胸打たれてきました。

そんなわけで、十四年があっというまに経（た）ちました。

さまざまな候補作を拝読するあいだに、「ここをもうちょっと気をつけると、もっとよくなる気がする」とか、「ていうか私は、いったいどうやって小説を書いているんだろう」とか、いろいろ考えたり反省したりすることがありました。それで選考会後に毎度、小説についてコバルト編集部のみなさんとあれこれおしゃべりしていたところ、「じゃあ、小説の書きかたについて連載してみませんか。投稿してくださるかたの参考になるかもしれませんし」と言っていただいたのでした。

とはいえ私のごときものが……、と思ったのですが、これまで渾身の作品を送ってくださったみなさま、そしてこれから渾身で投稿しようとしておられるみなさまへのお礼になればと腹をくくり、いままで私自身が小説を書いてきて気づいたこと、考えたことを、連載にぶちこみました。ぶちこみすぎて、途中なんだか様子がおかしいことになっていますが（本編参照）、本書が少しでもご参考になれば幸いです。

『マナーはいらない』というタイトルには、「小説を書くのは自由な行いだから、細かい作法とか気にしなくてオッケーだぜ！」って思いをこめました。しかし少々嘘(うそ)もあるタイトルで、たしかに自由な行いなのですが、「ここを踏まえると、もっと自由に文章で表現できるようになるかもだぜ！」というポイントも確実にある気がします。それについては、なるべく例も挙げつつ説明するように心がけました。

だけど、なにしろ書いてるのが私だからな！　ドヤ！（ドヤるところがまちがってる）「なんか妙なこと言ってらあ」と、お気軽に読んでいただければうれしいです。あと、小説家を志(こころざ)しているかたって人口の何パーセントぐらいおられるのかはなはだ不安なので、特に小説家志望じゃないんだけどなというかたも、エッセイ感覚で手に取っていただければ、さらにうれしいです。って、まえがきに書いても届かないよな……。おーい、そこの小説家志望じゃないかたー。おいら、ここにいるよー。レジに持っていっておくれー。

本書の構成は、タイトルにあやかってフルコース仕立てにしてみました。全二十四皿って多すぎるだろ。いくらなんでもおなかが破けちゃうだろ。コラムは、「お口直し」という項目になっています。四回もお口直しって、お色直しが頻発(ひんぱつ)する芸能人のバブリーな披露宴か。

いろいろツッコミどころのある当店へ、ようこそいらっしゃいました。手づかみで、あるいは寝転がってなど、どうぞご自由にお食事をお楽しみください。

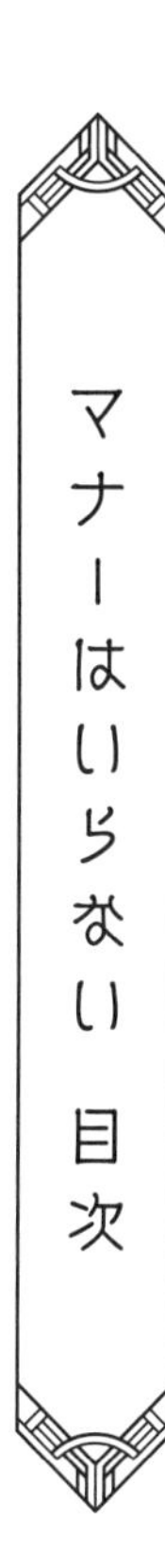
マナーはいらない　目次

✴食後酒

✴お口直し

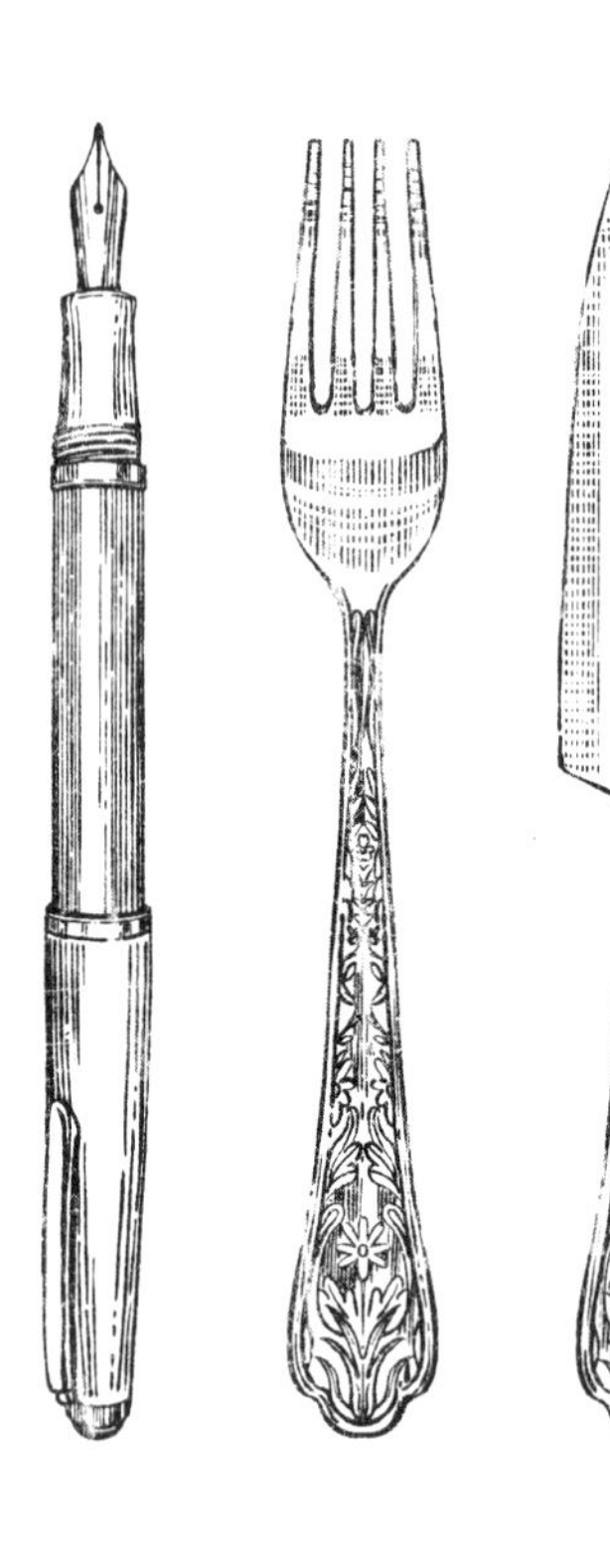

装幀
✦
SAVA DESIGN

装画
✦
三 宅 瑠 人

フランス語訳
✦
岡元麻理恵

マナーはいらない

小説の書きかた講座

三浦しをん

一皿目

推敲について
——お庭の手入れは万全に

さて、お食事をはじめましょう。最初のお皿は、ごくごく初歩的なお料理から。しかし、「初心忘るべからず」とも言いますからね。

すんごく大事なことですが、小説を投稿する際には、賞の「応募要項」をよく読みましょう。特にパソコンからプリントアウトした原稿を投稿するときは、パッと見て読みやすい書式にしてください。「二〇字×二〇行」など、賞によってはプリントアウトの書式が指定されているかもしれませんが、その場合も同様です。たまに、「字間」が異様に空いていたり、「行間」が異様に詰まっていたりする原稿があって困惑します。

もちろん、重要なのは作品の中身なので、あんまり細かいことを気にしすぎる必要はありません。脅迫状みたいな書式でプリントアウトされてる原稿も、ちゃんと拝読します。

でも、小説はだれかに読んでもらうためのものなのですから、作者であるみなさんは、「これで読者は読みやすいだろうか」ときちんと想像して、原稿の体裁を整えるべきです。「パソコンの設定がよくわかんないし、プリンターも不調でかすれ気味だけど、時間ないから、もうこれでいいや」といった、やっつけ感あふれる応募原稿にしてしまっては、せっかくの作品が泣きます。

なによりも、「この作者は、『読者に読んでもらう』という意識が低い。すなわち、自作に対する客観性がないということだ」と判断されてしまっては損です。だからこそ、時間には余裕を持って、プリントアウトの書式も含め、作品を丁寧に仕上げていただきたいのです。

それに関連して、もうひとつ。

念入りに推敲(すいこう)するのも、非常に大事です。誤字脱字はないか、文章は万全に練りあげられているか。小説を書きあげたら、今度は読者の立場になって自作を客観的に読み直し、手を入れていきましょう。

プロの小説家で、推敲してないひとなんて(たぶん)いません。原稿を編集部に送るまでに、何度も何度も読み直して練ります。その原稿が雑誌に載る際には、事前に「ゲラ(校正刷り)」で確認し、さらに推敲します。雑誌に載った原稿を単行本にするとなったら、またも「ゲラ」を複数回やりとりし、気が遠くなるほど推敲します。その単行本が文庫化されるとなったら

（以下略）。

それぐらい推敲は重要です。書いた原稿を読み直しもせず投稿するなんて、「深夜に書いたラブレターを教室でまわし読みされる」なみの恥辱だと思ってください。

なぜ、推敲が大切なのか。これも、「読者のため」の行いだからです。また、自身が読者の立場になって、自作を冷静かつ客観的にジャッジメントするチャンスだからです。「これをだれかが読んでくれるんだ」という意識を持たず、客観性を欠いた状態でいては、いい作品は書けません。ただのひとりよがりになってしまいます。

誤字脱字が多い応募原稿を拝読すると、歯がゆいです。まずは作者が自作を愛さなければ、作品にこめた思いが読者に伝わるはずありません。推敲が行き届いていない原稿は、草ボーボーの庭みたいなものです。その庭を見せられて、「私が愛をこめて作りあげた庭です」と言われても、「おまえの愛はなんかまちがっとるぞ！　ヤブ蚊に刺されてかゆいわ！」ということになります。

かといって、自作を愛しすぎて視野狭窄に陥ってもいけないのです。「ものすごく思い入れがあるのは感じられるが、場にそぐわない妙な置物が設置されてる庭」をドヤ顔で披露されても、客（読者）は困惑するほかありません。

原稿を書き終えたら、愛ゆえの鞭（むち）をびしばし自作にふるい、推敲に推敲を重ねましょう。たとえるなら推敲は、「庭の草を刈り、しかし野趣あふれる花は残し、妙な置物は断腸（だんちょう）の思いで撤去する」行為です。小説執筆にまつわるすべての作業は、作品にこめた思いを、読者に的確に届けるためにあるのです。

とにかく、小説を読むひとのため、作者自身の客観性を保つため、推敲をしてください。プリントアウトの書式などにも、ある程度は気を配ってください。コバルト編集部や私は、あくまでも内容本位で選考していきます。しかし、「自作にちゃんと思い入れ（つまり情熱）があるか」「なおかつ、自作への客観性を保てるひとか」を、推敲度合いや書式からうっすら感じ取っているのも事実です。

小説を書きあげたことだけで満足できるなら、小説によって対価を得て生計を立てたいとまでは願っていないなら、推敲せず書きっぱなしでもいいと思います。冷たいように聞こえるかもしれませんが、原稿は机の引き出しにしまい、だれにも見せずにおいてください。書くことを仕事としてつづけていきたいなら、複数回の推敲や、書式を整えることぐらい、屁（へ）のカッパだという気構えでいなければなりません。失敬、「屁」などと言ってしまって。カッパの尻（しり）から出るビーナスの吐息だという気構えでいなければなりません。

……この言いまわしもどうなんだ。こういうときこそ、粘って推敲し、文章を練ってくださいね！

三十枚の短編だと、一晩で一気に書きあげてしまう、というかたもいるでしょう。その場合は、書きあげたあと、少し落ち着いてから推敲です。しかし、数枚（あるいは数行）ずつ書く、という場合は、前日に書いた部分を読み返し、推敲してから、今日の執筆に取りかかるのが基本です。必要に応じて、作品の頭からできているところまで読み返し、推敲してから、今日の執筆に取りかかる、という日もあるでしょう（もちろん、完成したら必ず、全体を通して推敲ですよ！）。

これを繰り返すことによって、作品の精度が上がりますし、「読み返してみたら、今後の展開について新たなアイディアが浮かんできたぞ」と、活力を持って今日の執筆に取りかかれるケースもあるはずです。

手間を惜しまず、自作と適切な距離を保ちつつ（＝客観性）、愛をこめて作品を仕上げていきましょう。

二皿目

枚数感覚について
――迷子にならぬために

「小説なんて書いてられっか！」ってぐらい暑い日がつづいていますが、みなさまお元気でしょうか。夏ノ暑サニモ負ケズ、一日ニ五枚ノ原稿ヲ書ク、サウイフモノニワタシハナリタイ。ぐすんぐすん。

ところで、問題は「五枚」です。この「五枚」とは、A5用紙にびっしり五枚でも、ティッシュペーパーに五枚でもなく、原稿用紙に五枚です。

「そんなことはわかっとるわい！」とおっしゃるでしょうけれど、待たれぃ。話を聞いてくだされ。

実際に原稿用紙に手書きしているかたは、現在では少数派だと思います。私もこの原稿をパソコンで書いています。しかし日本語の原稿では、いまでも分量の基準が「原稿用紙」なのです。もっと言うと、二〇字×二〇行＝四〇〇字詰めの原稿用紙です。

出版社から小説やエッセイの原稿を依頼される場合、「七十五枚でお願いします」「十枚でお願いします」などと言われます。これらはティッシュペーパーではなく、「四〇〇字詰めの原稿用紙で換算して、七十五枚（あるいは十枚）」という意味です。

例外として、雑誌のレイアウトがかっちり決まっている場合や、新聞からの依頼は、たとえば「一三字×五二行でお願いします」と、字数×行数を細かく指定されます。広告関係の依頼の場合は、「一六〇〇字でお願いします」とざっくりした文字数を提示されることもあります。

しかし原則は、あくまでも原稿用紙換算です。小説家としてデビューしたら、主に出版社と仕事をするはずなので、「原稿用紙一枚ぶん」がどれぐらいの分量なのか、身体感覚としてつかんでおかなければなりません。そうじゃないと、依頼された枚数でどれぐらいの内容が書けるものなのか、まったく見当もつかないまま執筆に取りかからねばならない、ということになってしまうからです（ついでに言うと原稿料も、「原稿用紙一枚あたり〇円」と計算されます）。

この問題は、小説の構成をどう立てたらいいのか、ということとも深くかかわっています。たとえば、コバルト短編小説新人賞の規定は、「原稿用紙二十五〜三十枚」です。しかし応募原稿を拝読していると、「内容に枚数が合ってないな」と感じる作品にしばしば遭遇します。三十枚に話が入りきらず、駆け足になったり尻切れトンボになったり。逆に、枚数がまだあるのに、エピソードをふくらましきれず終わっていたり。

こういうケースは、一言で言えば「構成の失敗」なわけですが、その背景には、「原稿用紙一枚の分量、そして原稿用紙三十枚の分量を、身体感覚としてつかめていない（＝イメージできていない）」という問題があるのでは、と推測されます。

みなさんはパソコンで文章を書くとき、字数をどういうふうに設定しておられますか？　また、行数がちゃんと表示される設定にしておられますか？　手の内を明かしますと、私は「一行二〇字」設定で書いています。行数も表示し、常に自分が、いまどのぐらい書いているかを意識しています。ちなみにここまでで、原稿用紙三枚とちょっとです。

枚数の感覚がまだつかめていないな、というかたは、「一行二〇字」あるいは「一行四〇字」設定にし、「いま原稿用紙換算でどれぐらい書いたところなのか」を、パッと暗算しやすいようにしたほうがいいと思います。そうすれば、「これぐらい書いて、五枚なのか。そのわりに話が全然進んでないぞ」「もう二十五枚目に差しかかってるのだから、そろそろ話を収束させる方向に持っていかないと」といった具合に、書く際の目安になります。

これを繰り返しているうちに、「三十枚の短編だから、こういう展開にしよう」と、書くまえに構成を立てる力がついてきます。つまり、枚数に見合った話を思いつきやすくなるのです。

いま何枚目を書いているのか把握できない状況で執筆するのは、地図も道しるべも通行人もない場所で迷子になってるのと同じです。自分がどれだけ歩いてきたのか、あと何キロ歩けば目的地にたどりつけるのか、まずはその点を身体的に把握するのが肝心です。自宅から最寄り駅まで、何分かければ到着するか、みなさんは経験則としてわかっておられるでしょう。それと同様に、「原稿用紙三十枚」なら三十枚の分量を把握すべく、字数×行数を意識しながら、経験を積まなければなりません。

慣れてくれば、どんな枚数で依頼されても、「じゃあ、こういう話にすればちょうど収まるな」とイメージできるようになります（文字数で依頼されても、原稿用紙に換算して、目安を立てられるようになります）。一行二〇字設定にしなくても、行数表示をしなくても、「いまだいたい、原稿用紙で〇枚ぐらい書いたな」と感覚的につかめるようにもなるはずです。

この感覚を養わないかぎり、「せっかく構成を立てたのに、思いどおりに枚数に収まらなかった」という悲劇が起こりつづけます。場数を踏めば感覚は身につくので、枚数を意識しながら書くよう、心がけてみてください。

三皿目

短編の構成について（前編）

――シチュエーションか感情か、ご自由にお選びください

「小説の書きかたを考えてみよう」というコース料理（？）も、三皿目。推敲の大切さが骨の髄まで染みこみ、枚数感覚を養うトレーニングも怠りないぜ、となったところで、今回のお皿は「構成について」です。

もちろん、各人が自由に、やりやすい方法で構成を立てていいですし、あえて構成を立てないという選択をしてもいいと思います。ただ、まだあまり小説を書き慣れていない場合は、構成を立ててから取り組んだほうが、筆が進むのではないかなという気がします。

そこで、「三十枚の短編」の構成の立てかたを例に、考えてみます。小説に関して、「こうすればうまくいく」という絶対の公式はないので、以下をご参考に、ご自身でカスタマイズしてみてくださいね。

推測なのですが、「こういう話を書きたい」と思いつくとき、「こういう話」として思い浮かんでいるものの内実は、おおまかに言って二種類にわけられる気がします。

一、登場人物の会話、置かれたシチュエーションなどが思い浮かんでいる。
二、登場人物に関しては曖昧（あいまい）で、むしろ「ある感情」だったり、作品の雰囲気や主題のようなものだったりが思い浮かんでいる。

私は圧倒的に「二」のパターンばかりで、登場人物がどんなひとか、どういう会話を交わすのかは、当初はほぼ思い浮かんでいません。しかし、小説を書いているひとに話を聞くと、「二」のパターンのかたも相当数いるようです。「話が思い浮かんだ時点」ですら、ひとによって傾向がさまざまなのですから、一口に「構成を立てる」と言っても、なかなかむずかしいですよね……。

短編の場合、キレ味や読後の余韻（よいん）が重要になってきますから、あまり微に入り細を穿（うが）った構成は立てなくてもいいでしょう。まず、話の「肝（きも）」となる部分を頭のなかで定めます。肝とは、ストーリーが大きく展開する部分、あるいは登場人物の感情が一番高まる部分です。

「登場人物の会話」がまっさきに思い浮かぶひとの場合（以下、「『一』のパターン」としま す）、その会話が肝になるかもしれません。「ある感情や、雰囲気や主題のようなもの」がまっさきに思い浮かぶひとの場合（以下、「『二』のパターン」とします）、「ある感情」がいよいよ発生するシーンや、主題が立ちあらわれるシーンが肝になるケースが多いでしょう。

「一」のパターンの場合、問題となるのは、思い浮かんだ会話が、短編の冒頭のワンシーンだった、というケースです。冒頭に肝が来る小説も皆無ではないですが、常道はやはり、肝が中盤以降に来る構成でしょう。となると、冒頭の会話しか思い浮かんでいない場合、そこからまったく話を進められないことになってしまいます。

では、どうするか。登場人物の性格や、どんな立場でどういう暮らしをしているのかを、具体的に想像します。名前も、もちろんつけます。「どんなひとなのか」をつかむのです。そのうえで、冒頭の会話をしているひとたちの身に、なにか決定的な破滅（あるいは修復）が起こるとしたら、どんなエピソードがふさわしいか、を考えます。そのエピソードを、中盤以降の肝として設定するのです。

「破滅」と言いましたが、べつに、「理不尽に会社をリストラされて一文無しになったうえに、近所の住人から言語に絶するいやがらせをされる」とか「銃撃戦に巻きこまれる」とか、おおげさなことじゃなくてもいいのです。

破滅あるいは修復とは、つまるところ、作品内での「劇的な出来事」です。どんなにささやかな出来事だったとしても、それは構成上、「劇的な部分」「ストーリーが展開する部分」になりえます。そういう「劇的な出来事」を起こすのに一番手っ取り早いのは、「主人公を窮地に追いやる人物や事件」を出現させることです。主人公が心身ともに居心地のいい状態のままでは、「劇＝ドラマ」は生じません。

みなさんはすでに、「こういうひとだ」と、登場人物の性格をつかんでいます。では、その登場人物がいやがったり悲しんだり怒ったりするような、つまり心を揺り動かされるような、相手の言動や出来事ってなにかな、と想像してみてください。そこが作品の肝になるのです。客観的には「些細だ」と思われる感情の揺れ、出来事だったとしても、当人（登場人物）にとって重要なことであれば、そこを肝に物語は紡ぎあげられます。

急いでつけ加えると、「登場人物が喜びを感じる」という方向性での、「心を揺り動かされる」事態も、もちろんアリです。しかしその場合、そこに至るまでのシーンでは、登場人物は窮地に追いやられていなければなりません。そうであってこそ、「喜びを感じる」場面が、肝

（＝劇的な部分）になるのです。

「二」のパターンの場合、問題となるのは、「作品を通して描きたい感情や主題らしきものはあるのだが、なんかモヤモヤした雰囲気しか浮かばない」というケースです。これはもう、「雰囲気小説」にならぬよう、とことん具体的に考えるしかありません。

まず、「描きたい感情」や「主題らしきもの」が表出するシーンを、構成の常道として、中盤以降に持ってくるとします。では、それを描くために最適の登場人物とは、どんなひとたちなのか。性格や暮らしかたや立場などを渾身で想像します。名前も、もちろんつけます。あと、場所をどこにするのかを決めるのも、非常に重要です。

「モヤモヤした雰囲気」はあくまでも、「短編を読み終えた読者の胸に残したいもの」なのだと考えてください。結果として作品から醸しだされる雰囲気、イメージなのです。書く際に、作者がそのイメージにひたりすぎたり、引きずられすぎたりしてはいけません。

綿あめを想像してみましょう。ふわふわしています。しかし、綿あめを構成するものがふわふわしているでしょうか？　否（いな）！　綿あめは、割り箸（ばし）、ざらめ、鉄鍋みたいな機械、屋台のおじさんからできています。材料（？）はちっともふわふわしていないのです。でも、できあがりはふわふわ。

小説も同様です。登場人物について想像力MAXで考えることや、構成を立てることなど、小説を小説として成り立たせるための技法や意図は、しっかりとしておく。その結果、「ふわふわしている」といったような、当初思い浮かんでいた「雰囲気」が実現するのです。脳内に浮かんだ「雰囲気」に流されるがまま書いていると、不思議なことに、意図した雰囲気は絶対に小説から醸しだされません。

さて、「一」のパターンでも「二」のパターンでも、これで肝の部分と、登場人物の性格などは決まりました。次に、冒頭とラストを考えます。

短編の場合、冒頭は「つかみ」が大事です。「なにがはじまったんだろう」と読者に思わせるような場面や会話、ということですね。ラストは、「こういう感じ」という程度に決めておくぐらいでもいいかもしれません。書いていくうちに、登場人物が思いがけない行動や選択をすることも皆無とは言えませんから、構成の段階でガチガチにラストを決めすぎると、かえって小説が縮こまってしまうおそれがあります。

三十枚ぐらいの短編だと、「冒頭(キレ味よく作品世界に導く)↓肝(ストーリーが大きく展開する部分。登場人物の感情が一番高まる部分）→ラスト（余韻を醸しだす。あるいはスパッとオチがくる）」という、三段構えで考えるのがセオリーかなと思います。その際のポイントは、冒頭からダラダラ構成を考えるのではなく（それは単なる「あらすじ」です）、まず肝の部分を中核に据えることです。肝の前後は、肝を輝かせるために存在するのだ、という気持ちで発想し、肝を活かすためにはどうすればいいか、という観点で構成を立ててみてください。

具体例がないと、ちょっとわかりにくいかもしれないですね。次の皿では自作を例に、短編をどう発想し、どう構成しているのか、説明します。と言いつつ、おいら、「感性派」（↑かっこよさげに言ってみた）だからな……。すなわち、「理論に疎い派」（↑かっこよさげに言えなかった）だからな……。うまく説明できるかわかりませんが、がんばります。

四皿目

短編の構成について（後編）
——具体例でご説明、自作を挙げたら首が絞まった風

三皿目では、「三十枚の短編」の構成の立てかたについて考えてみましたが、やや抽象的というか、わかりにくいかなという気もしたので、この皿では実例を挙げて発想や構成を説明します。

例にするのは、はばかりながら、自作『星くずドライブ』（『天国旅行』所収・新潮文庫）です。これは五十枚の短編ですが、まあ発想や構成において、三十枚の場合と大差ないだろうと思います。

あ、「『星くずドライブ』を読め」ということではないです（気が向かれましたら、お手に取ってみてくださいね↑小声）。ざっくりとあらすじを説明します。

『星くずドライブ』は、学園都市で暮らしている大学生の男女の話です。語り手の「僕」は、

彼女の香那とアパートで半同棲生活を送っています。ある晩、いつものように香那が部屋にやってくるのですが、食欲がないのか、僕が用意した夕飯に手をつけません。変だなと思いつつ就寝し、翌朝、一緒に大学へ行ったところ、どうやら友人には香那の姿が見えていないようなのです。

　実は、香那は前夜、僕のアパートへ来る途中で車にはねられ、幽霊になっていたのです。僕は幼いころから、幽霊を実体のように鮮明に見ることのできる能力を持っていたため、まさか香那が霊体だとは思わずに接してしまっていたのでした。

　僕は幽霊の香那とともに、香那が生きていたころと変わらぬ暮らしをしますが、二人のあいだには微妙な隙間風が吹きはじめます。僕は香那に「取り憑かれた」状態ですから、このまま香那に「監視」され、新しい恋愛も結婚もできないのかなあ、なんて考えます。香那は香那で、自分の姿を見ることができるのも、会話を交わせるのも、僕しかいません。僕を頼るしかない状況に、幽霊ながら心もとなさを感じています。

　そんなある日、ひょんなことから、香那は時速八十キロ以上のスピードで移動すると、霊体を保っていられず雲散霧消してしまうことが発覚しました。僕は、百二十キロぐらいスピードを出したいなあと思いながらも、実行には移さず、幽霊の香那を助手席に乗せて車を走らせるのでした。

こうしてあらすじを書くと、バカみたいな話ですな……。でも、「あらすじわかったから、もう現物は読まなくていいや」とは思わないでいただきたい！　拙者の献身（？）をどうか汲んでいただきたいっ！

それはともかく、この小説をどう発想し、構成を立てたか、記憶をたどってみます。

本作を書くよりも何年かまえ、私はお世話になったかた（故人）にぼんやり思いを馳せていました。「亡くなってけっこう経つけれど、たまにこうして思い出してしまうなあ。たとえば、さして親しくなかった同級生（存命中）のこととか、まったく思い出さないのに」と考え、「とすると、生者と死者のちがいって、なんだろう。親しくなかった同級生からしてみれば、私だって死者よりも遠い存在だろう」と、なんとなく不思議な気持ちにとらわれたのでした。

この気持ちを小説にしたいなと思っていたところ、数年経って、折良く短編の依頼が（しかも「心中」というテーマで）来たので、「よっしゃ」と実作に取りかかることにしました。

まず、前述の「気持ち」を短編の「肝」に据えることに決めます。まえの皿で説明したパターンで言うと、私は「二」の、「登場人物に関しては曖昧で、むしろ『ある感情』だったり、作品の雰囲気や主題のようなものだったりが思い浮かんでいる」派なので、このように「気持ち」を短編の肝にして、発想していくことが多いのです。

次に、その気持ちを物語として表現するために、どんな登場人物にするのがいいかを考えました。私は以前から、なぜ幽霊が見えるひとがいるのか、そのひとたちにとって、世界や死はどう映っているのか、とても関心があります。そこで、主人公は幽霊が見えるひとにしよう、と思いました。小説の雰囲気としては、ちょっとユーモラスだけど、うつくしく切なくこわくもある話にしたいから、きらめく青春感満載の、大学生がいい。では、幽霊になってしまうのは、主人公の恋人である大学生ということにしよう。

そこでちょっと思考が止まりました。恋人の死因はなんだろう。病死だと、看病についてとか、またべつの描写が必要になってくるかもしれず、書きたい肝とややずれるおそれがある。突発的な事故、車にはねられるとかかな……。

死因についてはひとまずおいて、小説の舞台となる場所を考えてみることにしました。私の友人は、筑波（つくば）研究学園都市に住んでいたことがあり、私も遊びにいきました。非常に広大かつ人工的な街で、大学へ通うために、学生さんも車が必須、という感じでした（構内を移動するのも大変な広さなのです）。しかし、ちょっと車を走らせれば、豊かな自然も残っています。

生者と死者のあわいを描くのに、ぴったりだ。車社会だし、恋人が不幸にも車にはねられて亡くなるというのも、そう不自然ではないのではないか。よし、筑波研究学園都市らしき街を舞台にしよう。

　すると、またいろいろ発想が湧いてきて、主人公と恋人が、恋人の生前も死後もよくドライブしていること、一定以上のスピードに恋人の霊体が持ちこたえられないことなど、設定がどんどん決まりました。

　ここまで脳内で考えるのに、たぶん五分とかかっていません。当時のネタ帳を見ますと、「英太、紗絵　一人称　星くずドライブ」とだけ書いてあります。構成立ててないじゃないか！　しかも登場人物の名前、できあがった小説とちがうじゃないか！（構想段階では「紗絵」だったのに、作中で「香那」にしたのは、「カナ」のほうが響きが鋭角かつ悲しげだからです。ちなみに「僕」は、「英ちゃん」と呼ばれています）

　短編の場合、このように、実際に紙に構成を記さずに書きはじめてしまうこともあります。ただ、これは頭のなかでかなり道筋が見えているときに限ります。

『星くずドライブ』のケースでは、肝となる気持ちははっきりしており、「一定以上のスピードに霊体が持ちこたえられない」という設定を思いついた時点で、ラストも決まりました。舞台も、行ったことがある場所をモデルにすることにしたので、イメージしやすい。あとは五十枚という枚数に収まるよう、できるかぎりテンポよく話を進めればいい。細かい説明をしている暇はないので、もう一行目からズバリと行こう。

つまり、「まずは『肝』を定める→それを活かす登場人物や舞台を定める→すると細かい設定がどんどん浮かんできた→枚数に収めるためには、冒頭からズバリと行こう」という順で発想し、（脳内で）構成を立てたわけです。

『星くずドライブ』の冒頭の一文は、こうです。

まったく迂闊（うかつ）ではあるが、僕は香那が死んでしまったことにしばらく気づかなかった。

ズバリ、です。しかし、香那が幽霊であるということまでは明かしておらず、「なになに、どういうこと？　これから香那って子が死ぬのかな？」と、一応読者のかたの興味を引ける冒頭なのではないかと思います（たぶん）。

僕と香那（幽霊）の生活やら、周囲のひとたちとのあれこれやらを描写しつつ、三十枚目あたり（つまり、全体の半分よりちょっとあと）で、書きたいと思っていた肝の部分が来ます。

顔も名前も知らない、道で行きあっても幽霊みたいに互いに目もくれずに過ぎていく大半のひと。彼らにとって僕は死者に等しいし、僕にとっての彼らも同じくだ。そんなふうに考えながら夜の街を眺めおろすと、すでにあの世にいるような気分になってくる。

ここからは一気にラストへ突入です。二人のあいだに微妙に不穏な空気が流れるようになる。間の悪いことに、香那が八十キロ以上のスピードに持ちこたえられないことも発覚する。ラストは、こうです。

香那に残った「好き」という気持ちは、いずれ薄らいでいくものなのだろうか。気持ちが消えたとき、香那も完全にこの世から消えるのだろうか。その日が早く来てほしいようにも、せめて僕の鼓動が止まるまでは消えずにいてほしいようにも思いながら、星空のもと車を走らせる。

いかがでしょうか。「冒頭（読者への引きを作り、なおかつ説明に割く枚数をなるべく減らすために、キレ味重視）→肝（ストーリーが展開するシーンや、登場人物の感情が高まるシーン。中盤以降に持ってくる）→ラスト（余韻、あるいはオチ）」という、短編の構成の常道を踏まえていることが、おわかりいただけたでしょうか。自作を例に挙げてしまったがゆえに、「踏まえたからといって、うまくいくとはかぎらないんだな、ということがわかった」って感じかもしれませんが。面目ない。素晴らしい短編が世の中にはたくさんありますので、いろいろ研究してみてください。

もちろん、あえて常道（＝型）ではない構成にしてもいいのです。私も『星くずドライブ』を書くとき、「常道とは」なんて考えずに構成を立てました。しかしなぜか、自然と構成の基本ラインを採ってしまっている。不思議だなあ。「中盤よりちょっとあとに肝が来ると、ちょうどいい」など、物語の普遍的なリズムのようなものがあるのかもしれませんね。

みなさまが短編を発想、構成される際に、少しでもご参考になれば幸いです。

五皿目

人称について(一人称編)
——視野狭窄に陥らぬようご注意を

さて、構成は立てました。つまり、どんなお話を書きたいのか、おおまかな道筋は見えた。次に考えるのは、「人称」かなという気がします。

もちろん、考えなきゃならんことはほかにも山ほどあります。「魅力的な登場人物にするには、どうしたらいいか」とか。しかし登場人物にまつわること（性格やセリフ）は、率直に言って好みの部分が大きい。

作者が、「ドヤ！　この主人公ならモテるのも納得だろう！」と思って書いても、必ずしもすべての読者の同意を得られるとはかぎりません。「ええー、なんか自分勝手な主人公で、やだ」「こんなやつがモテるなんて世も末だ」など、絶対に異論が出てくるものです。当然と言えば当然で、全人類からモテモテの人間などいないのと同様、登場人物に対する好みや受け止めかたも、ひとそれぞれ。たとえ架空の人物であっても、「万人受けする人間」などいないということです。

登場人物の性格づけやセリフには、作者の好みや感性が出やすいし、その登場人物を「いい」と思うか「やだ」と思うかもまた、読者の好みや感性によるところが大である。つまり、理屈や理論でどうにかするのがむずかしい部分のような気がするんですよね……。

私もこれまで、「こういう男性（あるいは女性）って素敵だわ」と思って書いた登場人物が、いまいち読者のかたにピンと来ていただけなかった、という経験がちらほらあり、自身の趣味の特殊性を思い知らされるというか、「すみません、生まれ直してきます」というか、もうトホホです。

それに比べると、「『人称』をどうするか問題」は、理屈・理論がものを言う部分だと思います。戦略の練りどころ、ということです（もちろん一部の天才は、戦略など練るまでもなく、書きたい物語にぴったりな人称を本能で選び取れるのでしょうけれど）。

「どういう人称がふさわしいか」を考え抜いたうえで小説を書くことによって、物語と登場人物をより輝かせられるのではないか、と私は思っています。好みや感性に委（ゆだ）ねられる比重が大きい「登場人物の魅力」を、理屈と理論がものを言う「人称」の選択を通し、底上げすることが可能なのです。

以下は、私が人称についてざっくりと、「こういう特徴があるかな」と思っていることです。ご参考までに……。

一人称とは。
「私は」とか「俺が」とか、ある一人の人物の視点に基づいて、物語が語られていきます。
一人称は、郷愁や抒情を醸しだしやすい気がします。過去の出来事を振り返る、といった物語のときに、ひときわ効力を発揮するということです。

十七歳の夏、私が経験した出来事について語ろう。これから何年生きようとも、二度と味わうことはないであろうきらめきと喜び、そして少しの痛みを帯びた、あの夏の出来事について。

ってな感じに。
一人称の弱点は、一人の人物の視点からしか描けないので、どうしても視野が狭くなりやすいところです。物語に閉塞感が出てしまったり、「なんかこの語り手、ひとりよがりだな」と読者に思われてしまったりするおそれがある、ということです。

「視野が狭くなる」例をひとつ挙げると、一人称では基本的に、語り手の外見について書きにくいです。

応募作でよくあるパターンは、「一人称の語り手が鏡を見るシーンで、ついでに自身の外見を説明する」です。しかし、「それはだれに対する説明なんだよ。だれもおまえの外見なんて尋ねてないだろ。毎朝、顔を洗うついでに鏡を見るたび、いちいち『病的なまでに白い肌、湖のように青い目、母譲りの金髪』とか、自分の外見を脳内で説明するひとっているか?」と、読者にツッコまれることを覚悟せねばならないでしょう。

一人称でどうしても語り手の外見を説明せねばならない場合、私が思いつくかぎりでベストな解決策は、「語り手以外のだれかが、語り手の外見を話題にする。それに対して、語り手がなにか受け答えしたり、思ったりする」です。


「おまえ、いつもなまっちろい顔色してんなあ。ちゃんと朝飯食ってきたのか?」

「うるっさいな。ご飯大盛り三杯食べたよ」

「ならいいけど。ま、見ようによっちゃあ、白い肌に青い目が映(は)えて、今日もきれいだぜ」

「死ね、キザ野郎」

「あーあー、髪の毛もぼさぼさじゃねえか。俺が梳かしてやろっか。妹の髪を毎朝編んでるから、慣れてるし」

　もはや何百回繰り返されたかわからないアンディとの攻防を、このたびも冷酷なる無視で締めくくった私は、こっそりとため息をついた。身勝手に出奔した母を彷彿とさせる、このいまいましい髪。こんな乾燥した麦わらみたいな色の髪、アンディに触ってほしくない。私もケイティのように、艶やかな黒髪だったらよかったのに。

ってな感じに。（註：ケイティとは、アンディの妹の名です）
……「ベストな解決策」とはとても思えぬ作例になってしまいましたが、相当の「手数（＝細かい段取りや工夫）」を繰りださないと、語り手の外見を自然な流れのなかで描写するのがむずかしいということは、なんとなく感じ取っていただけたかと思います。一人称は、わりと不自由な人称なのです。
　とはいえ、弱点と利点は表裏一体。たとえば叙述トリックを仕掛ける場合、一人称が選択されるケースが多い傾向にあります。これは、一人称の語り手の「語れる範囲（視野）の狭さ」を、逆手に取った戦略と言えるでしょう。一人称だと、語り手が語りたくないことは語らずに（＝あえて情報を伏せて）、話を進めることができるのです。

さて、一人称特有の閉塞感を打破し、物語れる範囲（視野）を広げるためには、どうすればいいのか。「Aさんの一人称→Bさんの一人称→Cさんの一人称」と、章などによって視点人物を変えるのが、ひとつの手です。

しかし、そうすると長編ではなく連作っぽくなったりしますし、一作のなかで「なりきり力」がものすごく要求されるという弊害も生じます。「Aさん」「Bさん」「Cさん」三者三様の語り口を、視点人物が変わるつど、書きわけなければならないからです。

けれど、これもまた、弱点と利点は表裏一体。一人称は、「なりきってしまえば、こっちのもん」とも言えます。視点人物の内面に深く潜って描写することも、その語り口から視点人物の性格をビビッドに浮かびあがらせることも可能なのです。

ある一人の人物の視点、語りのみを通して物語を展開させるとは、すなわち、その人物に読者を惹きつけ、没入させる力が強くなるということです。一人称の語り手にうまくなりきって書くことができれば、読者が語り手に思い入れ、物語にひたる感覚を味わってくれる度合いが高まるでしょう。

私は基本的に、「登場人物が比較的少人数」で、「繊細かつ微細な心情や関係性を描きたい」と思っていて、なおかつ「短編・中編(せいぜい百枚ぐらいまで)の場合」に、一人称を選択することが多いです。

五百枚を超えるような長編を、視点人物を交代しないまま一人称で維持するのは、不可能ではないでしょうけれど、かなり戦略を練ったうえでの選択でないと厳しい(書きにくい)のではないか、と思います。

理由は、繰り返しになりますが、「一人称の語り手が語れる範囲(視野)は、案外狭い」「そこをクリアしようとすると、かなり手数が必要になってくる」「語り手の内面に深く潜って描写でき、語り手に読者をぐっと共感させることが可能だが、それゆえ逆に、物語に閉塞感が生じたり、『ひとりよがりな語り手だな』と思われたりする危険性も増す＝息苦しく濃密すぎる五百枚になってしまうおそれがある」からです。

一人称の最大の難点は、「この語り手は、いったいだれに向かって、なんのために、どうしてこんなに流暢に語っているのか」という疑問が生じることです。
この疑問を乗り越える方法は、私が思うに三通りあります。

一、疑問自体を無視する（＝小説の技法、「お約束」なのだからと割り切って、深く考えないようにする）。

二、「手紙」「手記」「なんらかの告白」など、だれかに向かって書いた、または語ったものである、という体にする。

三、右記以外の新機軸を打ちだす。←おいらはいまのところ思いついてませんが。すまぬ。

あらら、もう枚数オーバーしてしまった。二皿目で、「枚数を把握する力を身につけよ」なんてえらそうなこと言ったくせに、ちっともできてないじゃないか自分。すまぬ。

というわけで、「三人称」については次の皿で考えてみます。え、「二人称」？　めったに使われないから、スルーでいいじゃろう（いいかげん！）。

六皿目

人称について（三人称編）
——考えすぎると地獄を見るのでご注意を

ざっくり考えてみた「一人称」にひきつづき、この皿では「三人称」についてざっくり考えてみようと思います。

ざっくりでいいのか？　いいのです（自問自答）。人称についてあまり考えすぎると、私などは「ぎゃーっ」と叫んで、なにも書けなくなってしまいます。「どんな人称を選択しようと、小説の語りってどうしても人工的なものなんだな」ということがひしひしと感じられてくるからです。

だって、実際に虫になったひとが一人称で、「朝起きると、私は虫になっていた」と、だれに対してとも知れぬ状況説明をするなんてこと、現実にありえるでしょうか。大変な事態に直面してるんだぞ！　そんな説明をしてる場合じゃないだろ！　てなもんですよ。

三人称を選んだとしても、同じことです。私（三浦）がいまこの瞬間虫になったとして、

「朝起きると、三浦は虫になっていた」って、そうナレーションしてるおまえはだれなんじゃい！　どっかから見てるんなら、説明してないで助けてくれよ！　てなもんですよ。

どんなに自然さを心がけても、小説の語りはどうしても人工的にならざるをえない、と思うのは、こういう点です。一人称を選んでも三人称を選んでも、やっぱりなにかが「変」なのです。

だから人称について考えすぎると、変さが気になって気になって、小説を書けなくなってしまいます。とはいえ、それぞれの人称の特長や利点をよく把握し、書こうとしている小説にふさわしい人称を選ぶのは、とても大切なことです。うーん、どうしたらいいのか……。しょうがない、「ぎゃーっ」となる寸前で、考えるのを適当に切りあげてください。塩梅がむずかしい要求をしてすみません。

というわけで、三人称についてざっくり考えます。


三人称とは。

「A男は」とか「三浦は」とか、登場人物の外側からというか、客観的（とされる）視点に基づいて物語が語られていきます。三人称はおおまかに言って、「単一視点」と「多視点」にわけられるでしょう。現代の(特にエンターテインメント)小説で主流な三人称は、単一視点のほうだと見受けられます。

「三人称単一視点」とは、以下のようなものです。

夜道をほろ酔い加減で歩いていたA男は、だれかにつけられているような気がして、ふと口笛を吹くのをやめた。なにげないふうを装って歩きつづけながら、耳をそばだてる。やはり勘違いではない。背後で足音がする。A男は思わず早足になった。足音も同じくリズムを速める。A男は意を決して振り返った。街灯の光が届かぬ暗がりに、男が立っていた。シルエットから、B男だとわかった。B男は、にやりと笑ったようだった。

つまり、A男という一人の人物にカメラを固定する方法です。基本的には、A男の目に映るものを描写し、断定的に書けるのはA男の心情のみ、ということになります。

「B男は、にやりと笑ったようだった。」となっている点にご注意ください。A男にカメラが固定されているので、B男が本当に笑ったのかどうか、断定できません。暗がりで、細かい表情まではA男には見えなかったからです。

三人称単一視点の難点は、「これって一人称とどうちがうんじゃい」というところです。主語の「A男は」を「俺は」にしても、べつにかまわんのじゃないか、との疑念は拭いがたい。

利点は、「しかし一人称よりは、視点が切り替わったことがわかりやすい」です。一人称だと、一章では「俺」が語り手、二章では「僕」が語り手、と視点が切り替わった場合、「俺とか僕とかまぎらわしい！　いったいおまえら、だれなんだ！」と読者が混乱しかねません。それを防ぐために、「俺」に対して「おーい、三浦ー」と友だちが呼びかけるシーンを作ったり、「僕」に対して「はい次、松浦。答えて」と先生が授業中に指名するシーンを作ったりと、余計な手間がかかります。

三人称単一視点だと、その問題はなくなります。一章では「三浦は」、二章では「松浦は」と書いてあるのですから、読者は飲みこみやすいです。

また、一応は三人称ですので、急にカメラがA男から離れ、俯瞰や遠景で描写をしても許容されます。たとえばさきほどの例文の末尾に、

住宅街の真ん中で対峙した二人の男を、目撃するものはだれもいない。

という一文を加えたとしても、あまり違和感はないはずです。しかし、「A男は」をすべて「俺は」に置き換え、一人称にした場合、この一文を加えると、「なんで『俺』は急に、ナレーションじみたことを言いだしたんだ。だいたいなんで、『目撃するものはだれもいない』と、『俺』が断言できるんだ」と思えてしまいます。

三人称単一視点は、一人称と極めて近しい語りですが、一人称よりは描ける範囲が広いのです。また、一人称と同じく、心情を深く掘り下げることにも向いていると思います。基本的には、断定的に描けるのはカメラを固定させた人物（＝例文だとA男）の心情のみ、という制約はありますが。

一人称と三人称の「いいとこどり」といった面があるので、三人称単一視点を採る小説が多いのでしょう。私自身も、長編を書く場合は特に、三人称単一視点を選ぶことが大半です。

では、「三人称多視点」はというと、こういう感じです。

夜道をほろ酔い加減で歩いていたA男は、だれかにつけられているような気がして、ふと口笛を吹くのをやめた。なにげないふうを装って歩きつづけながら、耳をそばだてる。やはり勘違いではない。背後で足音がする。A男は思わず早足になった。つけているることをA男に気づかれたと察し、B男も慌てて歩調を速める。とうとう意を決して振り返ったA男に向かい、B男はにやりと笑った。B男は街灯の光が届かぬ暗がりに立っていたので、A男としては、シルエットから「B男だろう」と推測するほかなかった。だが、悪意に満ちた笑みの気配だけは、充分に伝わってきた。

つまり、カメラを特定の人物に固定させず、A男の心情や目に映る光景も、B男の心情や目に映る光景も、特に制約なく描く方法です（「神の視点」と呼ばれたりします）。

この場合、例文の末尾に、

住宅街の真ん中で対峙した二人の男を、目撃するものはだれもいない。

という一文を持ってきても、当然ながらなにも違和感はありません。

三人称多視点の難点は、「A男は」とか「B男は」とか、主語が多くなりがちで、なんか洗練されてないように見える危険性がある、というところでしょうか。また、最近の主流が三人称単一視点なので、三人称多視点を選択すると、「視点がブレてる」と読者に誤解されてしまうおそれもあります。

しかし、ちょっとまえ（といっても、大正だったり昭和だったりですが……）の小説を読むと、けっこう三人称多視点が多い気がします。しまいには、「筆者もA男の気持ちがとてもよくわかるのだが、それはさておき。先般、銀座に赴（おもむ）いたところ……」などと、突然作者自身が登場し、ストーリーとはまったく関係ないことを小説内で語りだしたりして、奔放です。でも、こういう奔放さ、個人的には好きで、たまに三人称多視点を採ってしまうのでありました。

三人称多視点の利点は、やはり描ける範囲の抜群の広さ、奔放なまでの自在さでしょう。ものすごーくカメラを引いて描くことも、いろんな登場人物の内面にふかーく潜ることも、自由にできます。もっと三人称多視点で書く修業をし、いろいろ試みてみたいなあ、と私はひそかに思っています。

単一視点か多視点かにかかわらず、三人称の最大の難点は、結局のところ一人称と同じです。つまり、「この小説を語っているのは、だれなのか。そして、だれに向けて語っているのか」ということです。

「A男に固定されたカメラ（単一視点）」または「あらゆるものを見ている神の視点のごときカメラ（多視点）」を通して、三人称の小説は物語られていくわけですが、その「カメラ」って、いったいだれの「目」なのでしょうか。登場人物の背後霊なの？　神なの？　作者なの？　なんでそんなに親切に、読者に向けて（？）いろいろ説明したり描写したりしつつ話を展開させてくれるの？

この疑問を乗り越える方法は、私が思うに三通りあります。

一、疑問自体を無視する（＝小説の技法、「お約束」なのだからと割り切って、深く考えないようにする）。
二、カメラの保持者をどこかの段階で明らかにする（＝「実はA男が過去を回想して三人称で書いたのが、この小説なんですよ」とか、「実はこの小説を語っていたのは、神さまなんですよ」とか）。
三、右記以外の新機軸を打ちだす。←おいらはいまのところ思いついてませんが。すまぬ。

みなさん、「ぎゃーっ」て叫びたくなってませんか？　大丈夫ですか？　私はもう限界です。

ぎゃーっ。
人称め、貴様について考えるのは、これぐらいにしといてやるぜ。

饒舌なる言い訳

　このあたりまでは、わりとまっとうに小説の書きかたについてお伝えしようとしていた気がするのだが（気のせいかもしれない）、案の定、今後どんどん「ひとそれぞれ」的なことを言いはじめる。ひとそれぞれ。便利な思考停止の言葉。さらに、とある映画にはまって私の頭がますますアレになったため、「むしろ貴様が人生に対するアドバイスをもらったほうがいいんじゃないのか」という様相を呈することになる。おののいてくれ。

　しかしつくづく思うのだが、なにかにはまるって楽しいですね！　小説を書いていると、どうしても家に籠もりがちになるので、気分転換がとても大事だ。みなさまもあまり根を詰めすぎず、適度に息抜きしつつ原稿に向かうよう心がけると、創作意欲がまた新たに湧いてくると思います。……お気づきだろうか。いまのは息抜きばかりしている我が身への渾身の言い訳だったことに。でも、事実でもある。とにかく自分を追いつめすぎないようにしてほしいです。

　あと、ひとそれぞれというのも事実で、小説を書く際のマナーは自己流でいいのだ。ただそれは、「感性のみに頼ってがむしゃらに書く」とイコールではないと私は思っていて、コツというか論理性は絶対にある。その兼ね合いについて考えながら読み進めていただければ幸いだ。

七皿目

一行アキについて（前編）
――息つぎはほどほどに

は～、もうアドバイスできることなんてないよ！　そもそも私、あんまり論理的に考えず、自分の書きたいように小説を書いちゃってるしなあ。にもかかわらず、「小説を書く際に気をつけるべき点」をアドバイスなんて、おこがましいにもほどがあるぜ。

早くもネタ切れの危機に瀕しているコース料理（？）ですが、担当編集さんから、「『一行アキの入れかた』で、気をつけてるところはありますか？」と質問をいただきました。

それ、重要！　私も投稿作を拝読していて、ちょっと気になっていたので、七皿目では「一行アキ」について書いてみることにします。

近年、コバルト短編小説新人賞の最終候補作で散見されるのが、「なんか一行アキの位置とかお作法とかが変かも？」という作品です。みなさん、自作の小説のどんな局面で、一行アキを入れていらっしゃいますか？

小説（ひいては創作物全般）には、いろんな「お約束」があります。ストーリー展開のパターン（型）や、登場人物の性格づけのセオリー（「完全無欠かと思えた主人公に、実は一カ所だけ弱点がある」とか）は、作劇上のお約束だと言えるでしょう。具体例を挙げると、ドラえもんはさまざまなひみつ道具をポケットから出してくれるけど、ネズミが極端に苦手ですよね。こういったお約束が有効に働くと、物語がより効果的に転がっていきます。

しかしお約束は、「ストーリー展開」や「登場人物の性格づけ」だけではなく、「小説の表記」に関しても、ある程度存在しているものなのです。たとえば、「この一文に、余韻や含みを持たせたい」というときは、

そうだったのか……。

と表記しますよね。

そうだったのか・・・。

と表記しても、表現したいことはなんとなく伝わってきます。でも、「中黒（・）を三つ重ねる」のではなく、「三点リーダー（…）を二つ重ねる」のが、小説における表記の一般的なお約束です。

しかし、これはまあ些細なことだ。もちろん、一般的な表記のお約束に則って書いたほうがいいとは思いますが、いざとなったらゲラ（校正刷り）で直せますから、大丈夫です。お使いのパソコンで、どう打ったら「……」を出せるのかわからない、というかたは、「・・・」としとけばよろしいかと思います。「あまり小説を書き慣れていないんだな」という印象を選考するひとに与えてしまうかもしれませんが、それが原因で新人賞に落ちるということはありえません。

ただ、「……」よりもっと重要な、表記のお約束があります。それが一行アキです。この一行アキを、自在かつ効果的に使いこなせるかどうかで、小説の出来にも影響が出てくるからです。

近ごろの投稿作で散見されるのは、一行アキの乱用です。これはたぶん、インターネット上で文章を読み書きする機会が増えたことが関係しているのだろうと思います。

たしかにネット上では、あんまりダラダラと文章がつづいていると非常に読みにくい。そのため、一行アキを多く入れる傾向があります。でも、基本的に紙で読むことを想定した小説の場合は、一行アキを入れるのは必要最小限に抑えたほうがいいでしょう。そうすることによって、一行アキの効果が増すからです。

では、一行アキはどういうときに入れるものなのか。私が思うに、

一、語り手（視点）が変わるとき。
二、場面転換するとき（＝一行アキの前後で、ある程度、時間の飛躍があるときなど）。

です。

けれど、これも絶対ではなく、語り手が変わっても、時間の飛躍があっても、あえて一行アキを入れないことも私はあります。そのほうが、めまいとともに読者を作中に惹きこむような効果が生まれることがあるからです。また、一行アキに頼らずとも、「いまだれが語り手なのか」「時間が飛躍したのか否か」が伝わるような文章を書くぞ、という気構えがなければ、筆力は身につかないのではないか、とも思うからです。「ここだ！」という局面のみで、効果的に一行アキを使ったほうが、絶対に小説が生き生きしますし、内容も読者に伝わりやすく整理

されます。

一行アキは、水泳における「息つぎ」のようなものなのです。水泳選手は、そんなにしょっちゅう息つぎしませんよね？　かれらは泳力があるし、泳ぐことに慣れているし、息つぎを減らしたほうが効率よく泳げるからでしょう。

文章においても同じことです。一行アキに頼りすぎないほうが、筆力が身につくし、どうしたら伝わりやすい文章になるかを考えて書く習慣がつく。そのうえで、満を持して一行アキを使うと、効果が倍増するのです。

一行アキを控えめにすることで、ぜひ「文章の肺活量」を鍛えてくださいね。

次の皿ではもうちょっと具体的に、一行アキについて考えてみようと思います。

八皿目

一行アキについて（後編）
――気づかいはほどほどに

七皿目で述べたとおり、一行アキは、

一、語り手が変化したことをわかりやすく読者に示すため。
二、場面転換（あるいは、時間がある程度経過）したことをわかりやすく読者に示すため。

に必要最小限入れるもの、というのが、基本的な「お約束」です。

ところが投稿作では、一行アキではなく、二行アキだったり三行アキだったり、なぜか二行アキと三行アキが混在していたり、といったケースも見受けられます。

「二行アキと三行アキを併用しているからには、そこには作者のなんらかの目論見(もくろみ)が隠されているのだろう」と、行アキの意図を汲み取らんと目を皿のようにして拝読するのですが、たいがい目論見も法則性も見いだせません。なんだよ、そのときのフィーリングで、適当に二行アキにしたり三行アキにしたりしてるだけなのかよ！　そういう自由奔放さ、個人的には好きだぜ。

でも、一応は小説表記のお約束に則り、意味なく「二行アキ」とか「二行アキと三行アキが混在」とかにはしないようにしましょう。基本はあくまでも、「一行アキ」。文章の精度のみならず、行をどこでどういうふうに空けるかまでも、万全に考えつくし、神経を払う。そういう姿勢で原稿に取り組むのが大切です。

もちろん、なんらかの意図に基づく、作品にとって効果的な選択であるならば、何行空けたってかまわないのです。でも、「三行空けたら、余韻が際立つかも」といったように、行アキに頼りすぎてはいけません。余韻は、行アキではなく文章自体から醸しだされるものなのです。行アキでドーピングしようとしても、失敗に終わるだけでなく、体に悪いです。

「体に悪い」というのはもちろん比喩で、「文章の精度がいつまでも上がらないままになってしまう」ってことです。そしてその事実から目を背け、ますます行アキを増やすことでなんとかしようとする、ドーピング地獄にはまる危険性大。お互い、気をつけましょうね……！

さて、「基本は一行アキ」を守ったとしても、その一行アキをあっちにもこっちにも入れてしまっては、これまた意味がない。一行アキが本来持っている効果が、薄れてしまうからです。

拙者が思うに、投稿作でよく見かける一行アキの乱用パターンは、以下のように分類できます。

一、法則性なく、感覚のみを頼りに、のべつまくなしに一行アキを入れる。
二、「目立たせたいと思う一文」の前後に一行アキを入れる。
三、会話やシーンが一段落するたびに、（語り手は変わっていないし、作中の時間もそれほど経過していないのに）一行アキを入れる。

「二」のケースはたぶん、「一行アキを入れないと、わかりにくいし読みにくいんじゃないかな」と、作者に自信がないゆえに生じるのでしょう（「一行アキを入れて、余韻を醸しだしたいな」と思うのも、文章に対する自信のなさの表れです）。書いているうちに不安に駆られ、あちこちに一行アキを入れてしまう。

でも、不安にならなくて大丈夫です！　ご自分がお書きになる文章に、もっと自信を持ってください。情熱と客観性を持って書いた文章なら、一行アキを乱用せずとも、必ず読者の心に届きます。

ご自分の文章と読者の読解力を信じて、一行アキを無闇に多用することなく、堂々とつづけて書きましょう。むしろ、一行アキが多すぎると、「この一行アキの意味は……？」と読者はいちいち考えなきゃならんので、物語の流れが途切れる原因となってしまいます。

「二」のケースは、インターネット上で小説を発表するかたが多くなってから増えた気がします。

まえの皿で述べたとおり、サイトなどで小説を発表し、それを読むときは、行アキが多いほうが見やすいというのはたしかです。サイト用に行アキを増やすのは、媒体に合わせた表現方法だと思うので、一概に否定はできません。ただ、「行アキ＝息つぎ」の多用に慣れてしまうと、「文章のみで勝負する」という小説の根幹部分が弱くなり、特に長編に対応できるような文章力、描写力、構成力がなかなか磨かれなくなってしまうのではないか、と心配です。

目立たせたい一文がある場合は、一行アキではなく、改行で対応すれば充分です。というか、改行などなくてもきらめいて見えるような、キメの一文を書くよう心がけましょう。小説は、キメの一文だけで成り立っているものではありません。そこに至るまでの物語の流れ、文章の緻密な積み重ねによって、なんでもないような一文が、キメの一文に変化する。それを味わうのが、小説の楽しみのひとつではないでしょうか。

一行アキには、物語の流れをぶつぶつと分断してしまう弊害もあります。目立たせたい一文の前後に一行アキを入れることによって、せっかくのキメの一文が、物語から隔絶した「無味乾燥な標語」のように見えてしまう、ということになったら、だいなしです。

「三」のケースは、「文章への自信のなさ」と「（会話やシーンが一段落したことを）目立たせたい」の合わせ技で生じるのかなと思います。「文章のみでは、会話やシーンが一段落したことが読者に伝わらないいんじゃないか」→「じゃあ、一段落したことを目立たせるために、一行アキを入れよう」。思考がこういう筋道をたどり、一行アキ多発へと至るのではないか、と推測するのですが、いかがですか？

もし、私の推測どおりなのだとしたら、「心配はご無用です！」と申しあげたいです。繰り返しになりますが、ご自分の文章に自信を持ってください。

「一行アキを入れれば、伝わりやすいかな」と、自作と読者のことを考えて書く姿勢は、とても大事だし、素晴らしいと思います。けれど、伝わりやすくするための解決策を一行アキだと考えてしまうのは、明確に誤りだとも思います。

解決策は、たったひとつです。自作と読者のことを考えて、「文章を磨く」。それ以外にありません。

そうやって文章を磨いていけば、必要最小限の一行アキを効果的に入れる、「ここだ！」というポイントもおのずと見えてくるようになるはずです。また、長編を書いても息切れしない文章力も身につきます。

一行アキは、時代とともに増加傾向にあるようです。明治の文豪などの小説を読むと、一行アキはほとんどなく、改行すらも現代の小説よりずっと少ないです。でも、ちゃんと伝わってくるし、おもしろい。読みやすさや伝わりやすさに、一行アキは必須の条件ではないんだな、ということがわかります。

「小説は文章のみで勝負するもの」という基本を忘れ、行アキドーピングに陥ってはいけないと、私は自分に言い聞かせるようにしています。

九皿目

比喩表現について
――様子がおかしいのは情熱ゆえ

私の夏は映画『H・iGH&LOW』シリーズに捧げられました（唐突）。ていうか、秋の気配が深まりつつあるいまも、『ハイロー（と略させていただきます）』のことばっか考えてて、おかげさまで仕事がまったく手につきません。ありがとう、琥珀さん！

琥珀さんてだれだ、と思うかたもいらっしゃるかもしれませんが、とりあえず私の頭がいい塩梅にアレになってるんだなということが伝われば、それでよいのです。あとは『ハイロー』を見てくださいとしか言いようがない。見ればわかるさ、琥珀さん（をはじめとする登場人物）のすごさが！

『ハイロー』シリーズは、とにかく作り手たちの情熱がびんびん伝わってくる傑作なのだが、型破りな点も相当ある。

具体的に言うと、「どこかで見たような展開や設定」が過剰に投入された結果、「いままで見たことがないようなカオス」が生じている。つまり、部分部分は「型を踏まえている」のだが、型と型のあいだのブリッジがうまく機能していないのか、単純に型の積載量がオーバーしているがゆえなのか（このあたりはカオスすぎて、まだよく分析できていない。すみません）、「は？　なんで!?」という展開や時系列の破綻、登場人物の言動に関する飲みこみづらさが多発しているのだ。

そのため、何度見ても（ああ、何度も見たさ）、「このひとたち、なんでこんな大規模な喧嘩をしてるんだっけ？」「スモーキーは結局、雨宮長男の行方を知らなかったってことなの？」「琥珀さんは大事なＵＳＢを持ったまま、海外（って、どこ？）でなにをなすってたんだ？」などなど、汲めどもつきぬ泉のように疑問が湧いてくる。

しかし、そんなことはどうでもいい！　いや、常識的な作劇術から考えると、看過できないほどの穴や矛盾があるのかもしれんが、常識なんてク○だ！　と私は思いました。それぐらい、『ハイロー』には情熱ときらめきがあふれていて、見るものの脳と心を直撃してくる。素晴らしい。「これだと構成が破綻してしまう……」とか、「ツッコまれないように慎重に伏線を張って……」とか、些末な点に汲々とするよりもさきに、創作するにあたって大事なことってあるよなと、改めて教えられた気がします。

ここまでの皿ではずっと、「小説を書くときのお約束」について私なりに考えてきたのですが、そういうのは全部無駄というか、小説家を目指すかたにとって邪魔にしかならなかったのかもしれないと、反省もしました。「型」とかあまり言いすぎると、かえって情熱を削(そ)いでしまうのかな、と。

ただ、『ハイロー』を「カオス」などと申しましたが、アクションやシナリオをはじめ、トップレベルのプロが技と知恵を結集し、「カオスだけど、危うい均衡でちゃんと作品として成立させている」のも事実。もし、映画のド素人(しろうと)が情熱のみを頼りに『ハイロー』みたいな作品を作ろうとしたら、目も当てられぬ結果になっただろうと思うのです。

「情熱と技術・技巧のバランスをどう取るべきなのか(作品や作者の持ち味によって、支点の置きどころは変わってくるでしょう)」について考えるうえでも、『ハイロー』は非常に興味深く、学ぶべきところが多いと感じます。個人的には、『ハイロー』のスタッフは型を知りつくしており、それを表現する技術と技巧も持っている。つまり、プロ中のプロなんだけど、やっつけ仕事には決してならず、わけのわからん情熱をいつまでも胸に燃やしていることができるひとたちなんだろうな、と推測しています(燃えかたが激しすぎて、ところどころカオスが生じたのだろうなと。それがまた好ましい)。

そう考えると、やはり我々が小説を書く際に、後天的に学習し磨いていくことができるのは、「型」をはじめとする技術・技巧面なのではないか、という気がするのです。情熱（モチベーションや、作品に取り組む姿勢）は、各自で維持し、燃やすほかないのだから！

情熱によって素敵なストーリーや登場人物や設定を思いついたとしても、それを作品として結実させるためには、技術と技巧が必要です。うまく結実させられなかったら、「書いても書いても、思い描いていたような小説にならなくてストレス溜まる。つまんないから、もうやめようかな」と、いずれ情熱は衰えていってしまうでしょう。また、情熱を維持しつつも、作品にとって最善のバランスを探る際に道しるべとなるのも、技術と技巧だと思います。「文章のテクニック」という意味だけでなく、「物語の型やお約束」も、技術と技巧に含まれます。

毎回、まったくのゼロからストーリーを発想していたら、いずれ限界が来ますし、実はひとの心を打つ物語にはならないのではないか、と私は思っています。

ここがどうもピンと来ないかたもおられるようなのですが、物語には「型（パターン）」があるのです。「こういう登場人物の配置」とか、「こういうエピソードが来たら、次の展開はこうなることが多い」とか（「河原で殴りあったライバルは友情で結ばれる」「戦場で家族の話をしたやつは死ぬ」など、思い当たるふしがおありかと思います）。

こういった型はなぜ存在するのかを考え、自作にうまく取り入れると（もちろん、あえて型からずらした形で取り入れるのも効果的です）、言葉は悪いかもしれませんが、いちいちすべてをゼロから発想する手間が省け、なおかつ、物語が生き生きと転がりだします。なぜなら物語の型には、人類が長年にわたって築きあげてきた、「気持ちいいな」と感じる感情の動きやストーリーの構造が凝縮されているからです。これを利用しない手はありません（特にエンタメ小説においては）。

そして、型を利用したがゆえに、「型どおりすぎてつまらん」という事態に陥らないために必要なのも、情熱と技術・技巧です。作り手個々人によって、情熱のありようと、体得したり重視したりしている技術・技巧が異なるから、それぞれの作り手固有の感性や倫理や特徴が作品に反映されるのです。

というようなことを、『ハイロー』シリーズ鑑賞を通して考えたのでした。ありがとう、琥珀さん！

一方、この皿で考えてみたいのは、「短編の冒頭をどう書くか」と「比喩表現について」です。これは、「情熱と技術・技巧のバランス」にも関係した問題なので、長くなってしまいますが、もう少々おつきあいください。

投稿作を拝読していると、冒頭がものすごく重厚かつ比喩を多用した作品がたまに見受けられます。そして、その文章の熱量と密度が、作品後半になるにつれ薄まっていく、という傾向にある。作品を書きはじめたときは気力体力ともに充分なのだが、だんだん集中力が切れてくるし、締め切りも迫ってくるしで、文章の熱量と密度を維持しつづけるのが困難になるのですよね……。「短編の冒頭をどう書くか」と「比喩表現」という、私が常日頃、自作を書く際に頭を悩ませている点が凝縮されていて、「お気持ち、わかる！　わかりますぞ！」と涙なくしては読めません。

わたくし絶好調のときは、日常生活でも息をするように比喩を連発してしまうらしくてですね（本人に自覚はない）。「うざい」とよく言われるんですよ、ええ、ええ。むろん、小説でも比喩がわりと多いらしく（本人に自覚はない）、「たとえとしてうまくないし、わかりにくい」と思われてんだろうなあと、疑心暗鬼になってるんですよ、ええ、ええ。

だから、慎もう、なるべく比喩は少なめにしようと心がけているのですが、無自覚なことも手伝って、どうしても迸(ほとばし)ってしまう！　だって比喩が、私の情熱の表れなんだもの！　おまえさまは情熱を理性で完全に抑えられるとおっしゃるのか！　どんな情熱だそれは！（逆ギレ）

十五年以上まえに書いた、『月魚』という小説があるのですが、機会があったら、その冒頭をご覧ください（角川文庫になってるよ。小声でCMでした）。私もいま、「もしや……」と思って、十年以上ぶりに冒頭を読んでみたのですが、顔面から火を噴きました。

三行目あたりで、すでに比喩が炸裂（さくれつ）してます。そして六行目で、ドヤ顔の比喩が！　むろん、七行目も比喩でレスポンス！　ノッてるかーい！　いえーい！（って、これも一種の比喩か。我ながら病が深い……）

いや、がんばっているよ、当時の自分。おまえのがんばり、だれも褒めてくれないだろうから、せめて俺だけは抱きしめてやるぜ！

しかしですね、書いてるときの情熱が去り、時間を置いて冷静になった目で見ると、これはやはりちょっとやりすぎたかな、という気がするのです。

比喩とはつまり、「まわりくどい表現」です。比喩によって詩情がかきたてられたり、イメージが広がったり、描写に重層性が生じたりといった、プラスの効果も大きいですが、連発すると当然ながら効果が薄れる。

小説の冒頭（特に短編）は、スムーズに作品世界に入ってもらうことが肝心ですから、私のようにドヤ顔の比喩を連発するのは、避けたほうが無難です（ううう、過去の自分よ、聞いていますか……）。あくまでも、「基本的には」ということで、作品の導入として効果的な比喩を思いついたのなら、もちろん使ったほうがいいですが。

ではどうして私は、冒頭から比喩を連発してしまったのか。答えはひとつ。情熱を抑えきれなかったからです。早い話が、「気負い」ですね。

小説の冒頭は、どうしても重くなる傾向にあります。書き慣れていないうちは、特にそうです。脳内に渦巻くストーリーや登場人物や思いを、これからいよいよ、文章にしていく。うまくいくか不安もあるし、早く文章にしないとせっかくのアイディアが逃げていってしまいそうであせるし、なによりもわくわくが止められません。あと必然的に、冒頭には、描写を通してさりげなく説明しなきゃいけない設定などがいっぱいある。

結果として、冒頭はどうしても重厚というか、密度が過度に高くなりがちなのです。これはもう、読者としても書き手としても、小説の冒頭は絶対そういう傾向にあると、経験則から断言できる！

渦巻く情熱が濃縮されたがゆえの、「冒頭の重さ（比喩が好きな私のような書き手の場合、そこに比喩の連発も加わる）」は、自分をかばうわけじゃないですが、好ましいです。情熱はないよりもあったほうがいいに決まってるからです。ただ、「冒頭重厚派」は、「情熱の配分を誤り、冒頭で使いはたしてしまって、後半になるにつれ息切れする」という罠に陥りがちなので、要注意です。

情熱を正しく配分するためには、経験と技術・技巧が必要です。とはいえ私は、いまだにこれがうまくできないのですが。しかたなかろう。おまえさまは情熱を理性で完全に（以下略）！

とにかく、コツは肩の力を抜くことです（ぼんやりしたアドバイス）。放っておいても、冒頭は特に気合いが入るものですから、「ぶらぶら戦法で行くぜ」ぐらいの気持ちで大丈夫です。ただし、パンチは鋭く！　気持ちはリラックスさせつつ、相手の隙を見て鋭いパンチを繰りだすのが、ぶらぶら戦法です。

パンチとは、端的に言えば最初の一文です。短編は特にこれが大事で、「さりげない一文のようでいて、『どういうこと？　なにが起きる（起きてる）の？』と読者に思わせる」ことができたら、もう勝ったも同然です。なにに対する勝利かというと、この御しがたい情熱ってもんに対してさ。あとは自身の情熱と仲良くつきあいながら、自分のペースで最後まで書き進んでいけばいいのです。

そんなすごい「最初の一文」を、どうやって思いつけばいいのかって？　わからん！　わかってたら、俺もうとっくに傑作短編を書けている！

情熱と技術・技巧のバランスを取るのは、何度試みても正解がなく、むずかしいことですが、それだけ追究しがいがあるとも言えます。いつか満足のいく小説を書ける日が来るかもしれない、という希望と期待だけは決して捨てず、お互いに試行錯誤(しこうさくご)してまいりましょう！

十皿目

時制について
――「時間の魔法」をかけて

まえの皿では理性を喪失していて失礼しました。味つけの濃い料理をお出ししてしまった……。しかし私の理性は、あいかわらず家出中です。

みなさん、映画『HiGH&LOW THE MOVIE 3/FINAL MISSION』はご覧になりましたか? まさか、この映画をまだ見てないなんて人類はいませんよね。……あ、未見のかたもいらっしゃる。そりゃそうだ。人類全員が見た映画など、史上存在しない。好みも興味を抱く方向性もさまざまだからこそ、私は映画をはじめとする創作物や、もっと言えば人間そのものが好きです。おんなじだったら、つまらないですからね。

ま、そういうわけで(どういうわけだ)、「見てない」って言ってるかたがいらっしゃるにもかかわらず、自分の欲望に忠実に『ハイロー3(と略させていただきます)』の話をしてしまうのですが、いやあ、いろんな意味ですごかった! 改めて、「私やっぱり、このシリーズ大好きだわ」と思いました。

前作『HiGH&LOW THE MOVIE 2／END OF SKY』を見た直後から、「『ハイロー3』はどういう展開になるんだろう」と、私は自分なりにいろいろ推理してきました。そこへ『ハイロー3』のあらすじや予告編が公開され、そのあまりにも破壊力の高いあれこれに、『ハイロー』好きの友人たちと大盛りあがりしたのも記憶に新しいところです。

あらすじと予告編は、『ハイロー』の公式サイトにアップされていますので、機会があったらご覧になってみてください。

三部作の映画の第三作になって、「(政府の)隠ぺいを暴くための〝3つの証拠〟を見つけだし」と、まったく初耳なミッションを課せられるらしい登場人物たち。なんという大胆な構成なのだ。ほんとに二時間弱の尺に収まるのか？　さらに、「政府による無名街爆破セレモニー」という、もはや脳が理解を拒むキラーフレーズ。どんな政府なのだ。ちなみに「無名街」とは、フツーの商店街のすぐ隣に存在するスラム街です。けれども、『ハイロー』シリーズはファンタジー作品ではなく、舞台はアントニオ猪木氏もビートたけし氏も存在しているらしい現代日本なのです。サイコーと言えよう。

で、私は『ハイロー2』までのシリーズおよび『ハイロー3』のあらすじと予告編から、

『ハイロー3』はこうなるんじゃないかな」と、以下のように予想していました。

まず、『ハイロー2』で狙撃された雨宮兄弟の三男の生死についてだが、この兄弟のこれまでを考えると、どっちかが早死にしちゃうのはあまりにもかわいそうすぎる。こういう場合、たいがい胸ポケットに硬いもんを入れていて、命拾いするパターンだよな。聖書とか。しかし、聖書が胸ポケットに入るのか、という疑問はこの際無視するとして、無視しきれない問題がある。雨宮兄弟は、バイブルを捨ててきちゃったらしいのだ（ああ、登場人物それぞれのテーマソングも聴きこんでいるさ）。

となると、なにで銃弾を防げばいいのか……。そうだ！ 以前に亡くなった雨宮長男は、三日月みたいな形のペンダントをしていたな。あのペンダントを、三男は兄の形見として胸ポケットに忍ばせていた、というのはどうだろう。ペンダントにはチーズみたいな穴がいっぱい空いてた気がするし、狙撃された雨宮三男が着ていたライダースジャケットには胸ポケットがなかったような気もするが、まあいい。兄の形見のペンダントが銃弾を跳ね返し、雨宮三男は一命を取りとめる。これだ！

一方そのころ、九龍（くりゅう）グループ（ヤクザの組織）に捕らえられたコブラ（登場人物名）は生コンを飲まされるわけだが（予告編参照）、たぶんコブラなら、生コンぐらい大丈夫だ。見かけによらずおなかが強いはずだ。

とはいえ、生身の人間が生コンを飲んで本当に大丈夫なのか？　と不安が拭いきれない観客もいるだろうから、もう一個保険をかけておこう。

同時刻、琥珀さんと九十九さん（いずれも登場人物名）は、九龍グループにカチコミをかけるべく、せっせとおにぎりを作っていた。

「腹が減っては戦はできねえって言うからな」

「どうでもいいけど、何百個握るんだよ琥珀さん。俺、腕がしびれてきたよ」

二人の握力は合計八百キロほどあるため、おにぎりは焼くまえの餅なみにかちんこちんだった。そのおにぎり五百五十個をかつぎ、九龍グループに突撃する琥珀さんと九十九さん。コブラを発見し、生コンの口直しにおにぎりをあげる。生コンとお手製おにぎりがコブラの体内でいい塩梅に作用し、かえって腹具合がすっきりした。

よし、これで「コブラ生コン問題」は無事に解決だ。絶好調のコブラ&琥珀さん&九十九さんが大活躍し、壊滅する九龍グループ。

じゃあ、「政府による無名街爆破セレモニー」をどうするかだが……。これについては、私ごときの発想力ではどうにもならん。

もうさ、爆破の衝撃で、SWORD（スウォード）地区（主な登場人物たちが住んでいる地域の名）が島になっちゃう、ってどうかな。そして、大海原（おおうなばら）へとゆっくり旅立っていく。映画『アンダーグラウンド』（エミール・クストリッツァ監督）のラストシーンみたいに。あるいは補陀落渡海（ふだらくとかい）みたいに。登場人物たちを乗せて、SWORD島は夕日の彼方（かなた）に消えていく。

よっしゃ、これしかあるまい！　うつくしいラスト！

と思ったのですが、実際の『ハイロー3』は、当然ながら私の予想とはまったくちがいました。こっちの予想を軽々と超える展開を見せよった……！　個人的にずっと謎（なぞ）だったこと（「その空白地帯、なに？　皇居？」）も明らかになったし、非常に満足のいく大団円でした。

『ハイロー3』を見て一番痛感したのは、「ジャーナリズムの重要性」です。作中のジャーナリストは、いままでずっと寝てたか死んでたかしていたのか!?　ほんとどうなってんだ、ハイロー世界は！　と思ったのですが、現実社会への警鐘とも取れますね。権力がケツ持ちについてるジャーナリストは、ジャーナリストとは言わねえんだよ！　と、琥珀さんなら義憤をこめて言ってくれそうです。権力にすりよったり、抱きこまれたりすることなく、まっとうなジャーナリズムを維持できるか、我々市民がそれを求め、応援できるかが、とても大切なんだなと改めて思いました。

しかし、『ハイロー3』にはツッコミを入れたくなる点ももろんある。それが『ハイロー』イズムであり（そうか？）、『ハイロー』の愛おしいところでもあるのですが、このシリーズで私が最大の引っかかりを覚えるのは、時系列です。というか、作中の時間経過に関する疑問です。

かねてより抱いていたこの疑問が、『ハイロー3』で最高潮に我が内心に噴出したのですが、（以下、ややネタバレですのでご注意ください）政府が隠蔽していた「あれ」。「あれ」が起きたのは、いったい何十年まえなのでしょうか。関係者が存命中なことを鑑みるに、せいぜい五十年まえとかですよね？　当時から付近に住んでいたひともいるでしょうし、なぜ「あれ」がまったく語り伝えられていないのか、これまで調べようとしたジャーナリストが一人もいないのか、不思議でなりません（まあ、作中のジャーナリストは全員寝てたか死んでたかしたのでしょう）。

『ハイロー』シリーズにはほかにも、時間感覚が私の体感・感覚とは異なるところが多々あり、MUGEN（琥珀さんが創設メンバーであるバイクチーム）が解散したのは、たった一年まえぐらいのことなの？　そのあと、短期間で五つのチームが群雄割拠するようになり、いろんな喧嘩やら騒動やらがこれまた一年ぐらいのあいだに起きて、「イマココ」ってことなの？　作中の時間経過、速すぎるし濃密すぎないか!?

いいえ、時間に対する感覚はひとそれぞれですし、一人の人間のなかでも、たくさんの出来事が矢継ぎ早に襲来し、ものすごく時間が速く過ぎるように感じられる時期があるものです。私みたいにのんべんだらりとした日常を送っているものと、『ハイロー』の登場人物たちのように喧嘩に明け暮れ、ついには政府の陰謀と対峙せねばならなくなったひとたちとでは、時間経過の体感スピードもちがっていて当然でしょう。もしくは、使われている暦自体が現実とは異なり、『ハイロー』世界の一年は千八百日ぐらいある、という可能性も考えられます。

だからまあ、時間経過／時間感覚が若干妙なのではないか、というのは、些細なことです。特に映画は、「どんどんさきに進む」のが特徴です。現在では、ＤＶＤなどで一時停止や巻き戻し（って、いまは言わないのか）をして見ることもできますが、基本的に作中のアクションは停滞することなく、ラストまで突っ走る構造を持っています（ここで言う「アクション」とは、ストーリーの展開や、登場人物の言動、感情の動きのことです）。『ハイロー』シリーズの時間経過も、「落ち着いて考えてみると、なんとなく腑に落ちないかも」という程度で、見ているときはあまり気になりません。

舞台（演劇）についても、基本的には同じことが言えるでしょう。舞台は映画よりもさらに一回性が高く、巻き戻して見ることを前提として作られてはいません。
シェイクスピアの『ロミオとジュリエット』も、時間経過におかしな点がたくさんある（主要な出来事が、なんと一日ほどのあいだに詰めこまれている、など）、と従来指摘されていますが、舞台を見ているときに、そんなことをいちいち考えるひとはほぼ皆無なはずです。たぶん、恋に落ちた若い二人に観客が思い入れられるよう、登場人物の感情の動きを周到に計算してあるからでしょうし、後戻りしたり停滞したりせず、「さきへ、さきへ」と物語を推進させる構造を持っているからでしょう。観劇中に、「ん？　なんか変だぞ」と思わせる隙を与えず、終幕まで爆走するのです。

翻（ひるがえ）って、小説はどうかというと、実は映画や舞台よりも、時間経過に対する感覚が重要になってくる気がします。なぜなら小説の場合、後戻りや停滞がかなり頻繁（ひんぱん）に起こるからです。ここで言う「後戻り」や「停滞」とは、回想や登場人物の内心の独白のこととお考えください。

小説では、ふとしたきっかけで何度も回想シーンが挟まれても、十五ページにわたって主人公が内心であれこれ考えていても（その間、作中の時間が一秒しか経っていなくても）、特に違和感はありません。小説内では必ずしも、時間は「さきへ、さきへ」とは進まないのです。現実の時間経過の体感とは、まったく異なる時間感覚に支配されているのが、小説表現です。

しかしそれゆえに、時間に関する言葉選びなどをまちがえると、「ん？　なんか変だぞ」と読者は我に返ってしまいます。小説世界を維持していた「時間の魔法」が解けてしまうのです。後戻りしたり停滞したりする、小説特有のフィクショナルな時間経過に、「おかしいぞ」と読者が気づいてしまうということです。

前後の文脈も提示しないと伝わりにくいと思うのですが、たとえばですね……。一人称視点で、現在の「私」が、三十年まえの過去について語る、という小説があったとしましょう。


「わかった。じゃあ俺、爆弾の作りかたを検索しとくわ！」

と太田は言った。

「うん、頼む。俺は花火師のところに忍びこんで、火薬を拝借しとくから」

私はもっともらしくうなずき、太田と手を振りあって別れた。

あのときの私は、まったくどうかしていたとしか言いようがない。いまさら悔いてもしかたがないが、それが太田との最後になるとも、思いもしていなかった。

あいだに一行アキがあるのがミソです。私の時間感覚からすると、この場合、「そのとき」ではなく「あのとき」としたほうがしっくり来ます。一行アキによって一呼吸置いて、太田との回想シーンから、三十年後の現在の「私」に時間軸が戻っているためです。三十年という時間の隔(へだ)たりがあったのちに、「私」が過去を語っているのだということを際立たせるには、「そのとき」よりも「あのとき」がふさわしいと思うのです。

もし、一行アキがなく、「私」の意識がいまだ三十年まえの回想シーンのなかにあるならば、

（前略）
私はもっともらしくうなずき、太田と手を振りあって別れた。
そのときの私は、まったくどうかしていたとしか言いようがない。これが太田との最後になるとも、思いもしていなかった。

とするでしょう。

視点となる人称や、語り手がいつの時点から、どのぐらいまえのことを語っているのかなどによって、「そのとき」なのか「あのとき」なのかをはじめ、細かい言いまわしについて、注

意深く考えて書く必要があります。本当にちょっとしたことなのですが、時間経過／時間感覚に気を配るか否かで、「時間の魔法」の効果が格段にちがってきます。

もうひとつ、例を挙げます。三人称単一視点だとして、

太田は翌日の墓参りに備え、今夜は早めに就寝することにした。

という文章があったとします。これは好みの問題もあるのですが、私はこの場合、「明日の墓参りに備え」とは、絶対にしません。なぜなら、太田視点の三人称（＝かぎりなく太田の一人称に近い視点）とはいえ、三人称であるからには、ある程度の客観性（引いたカメラ位置）で、地の文を語る必要があると考えるからです。「翌日の」ではなく「明日の」としてしまうと、いくらなんでも太田の主観に寄りすぎではないか、と思える。

もうひとつ、太田が存在する「現時点」は、「今夜」です。そこにさらに、「明日」という太田主観の時間感覚が地の文で入ってくると、「明日なのか今夜なのか、いまはいったいいつなんだ」と、読者は少々混乱するのではないか、と懸念されます。よって、この場合、私は「翌日の」を選択するのです。

ちなみに太田の一人称だったら、

俺は明日の墓参りに備え、早めに寝ることにした。

とします。

すんごく微妙な差異なうえに、読者や書き手それぞれの時間に対する感覚も異なるため、絶対の法則や正解はないのですが……。ただ、時間経過／時間感覚に関する言葉選びに自覚的になり、なるべく神経を配るというのは、小説を書く際には、とても重要なポイントではないかと思っています。

十一皿目

セリフについて（前編）
――耳をすました近所のおばちゃん風

これまで、「推敲」「枚数感覚」「構成」「人称」「一行アキ」「比喩表現（主に『ハイロー』話だが）」「時制・時間感覚（主に『ハイロー』話だが）」について考えてきましたが、ほかに小説を書くうえで大事なことってあるか？　……たくさんある気もするけれど、なにしろ私自身が、理詰めでものを考えようとするとすぐに、「んぎゃー、無理！」ってなる派なので、もう思いつかないです。

たとえば、「セリフ」や「描写」は大事なポイントですが、登場人物の性格や作品の色合いによって決まってくる面が多いでしょうから、「こうするのがいい」と一概には言えません。なによりも、作者個々人の感性や好みやリズムによるところ大ですものね。「こうしてみたら」と言われても、なかなか反映や修正がむずかしい部分だということは、経験からもわかります。

セリフや描写に関しては、自分で自分の弱点に気づき、なんとかクリアすべく工夫を重ねるしかないと思うのですが、あくまでも「私の場合は」ということで、書いてみます。もし、少しでもご参考になることがあれば幸いです。

小説を書きはじめたころ、「どうも私が書く登場人物のセリフは、ぎこちないというか芝居がかってるな」と感じていました。創作物なのですから、「現実ではこんなこと言わんだろ」というセリフがあったって、もちろんいいのです（「きみを愛してる！」的な）。むしろそういうセリフがあってこそ、物語が盛りあがり、読者として胸キュンすることが多々あるのではないのか、諸君！　と、なぜか演説調になるのであるが、しかし私が書くセリフはそんなレベルじゃなく、とにかくぎこちないことはなはだしい（気がした）。こりゃいかんな。なんとかせねば。

そこで私が実践（じっせん）したのは、「電車内で他人の会話に聞き耳を立てる」です。それまでも、電車内で乗客の会話を聞くともなしに聞いているのが大好きだったのですが、よりいっそう本腰を入れて、耳をそばだてました。タヌキのキン○マぐらい広がった私の耳が邪魔で、満員電車がよりいっそう窮屈なものになってしまったことをお詫（わ）びします。

その結果わかったのは、

一、いわゆる「男言葉」「女言葉」は、現代の口語表現ではあまり使われていない（＝性別や世代などで、しゃべりかたにそれほど明確な差違はない。ただし、相手との関係性によって、敬語はわりと意識したしゃべりかたをしている）。

二、現実の会話は、けっこうあちこちに話題が飛んだり、肝心なところまで行き着かないうちになんとなく終わってしまったりと、決して理路整然とはしていない。

ということでした。

以降、セリフの語尾に気をつけて書くようになりました。女性の登場人物だからといって、語尾に「わよ」「よね」を多用したり、男性の登場人物だからといって、語尾に「だぜ」「さ」を多用したりするのは、古くさく感じられるうえに、ぎこちなさを醸しだす要因にもなるので、なるべく避けたほうが無難です。

また、「現実の会話は、決して理路整然とはしていない」を、小説にどう反映するかですが、これはなかなか塩梅がむずかしいです。現実に倣い（なら）すぎて、ダラダラと無駄なセリフの応酬をつづけすぎてしまうと、「話がちっとも進まねえな」と読者をいらいらさせる危険性がある。

かといって、セリフのみに頼ってぱっぱと話を進めると、「全部をセリフで説明すんのやめろ」と、これまた読者がいらいらしてしまう。

「無駄な（と一見思える）セリフの応酬がありつつも、実は会話を通して、もしくは会話をするあいだも、的確にストーリーが進んでいる」というのが、ベストな塩梅でしょう。

小説内のセリフの応酬は、現実の会話よりも大幅に整理整頓（せいとん）されたものです。そうしないと、「まどろっこしい会話ばっかり」という印象を読者に与えてしまうからです。しかし、「説明」や「段取り」のための、無味乾燥で事務的な会話になってもいけない。セリフの応酬が持つもっとも大切な役割は、登場人物の思いや考え、もっと言えば人格そのものをさりげなく読者に伝えることだと思います。

ミュージカルを見ていると、ストーリーの途中で役者さんが突然歌いだすので、驚きます。会話していた相手が急に歌で応答してくることなど、現実にはまずない事態です。けれど、「現実ではありえないが、ときに会話が歌になるのが、ミュージカルでのお約束」です。すぐれたミュージカルは、歌を通してストーリーが展開していったり、歌によって登場人物の心情がより伝わってきたりします。小説のセリフも、同じなのではないでしょうか。

現実の会話をよく観察（聴察？）し、それを文章表現としてどう落としこむか。セリフに関しては、耳の感度が非常に要求されるなと実感しています。ちなみに私は極度の音痴ですが、セリフと音楽は異なるので、意識して「聴察」と文章化に取り組むうちに、ある程度は耳の感度が鍛えられる気がします。音痴のかたも、どうか絶望なさらずに！

次に、描写についてですが、これも観察が大事です。注意深く自他を観察し、目に映ったもの、感じた気持ちを、脳内でなるべく言語化するよう努める。言語化は、「記憶すること」と密接につながっています。言語化することによって、情景や感情の記憶がどんどんストックされていくので、小説を書く際に、「あのとき見た景色のような」「あのとき感じた気持ちのような」と、脳内に具体的に思い浮かべることができます。それを文章に落としこむのが、すなわち「描写」なのではないかと思います。

画家は、目に映ったもの、心のなかの思いを、的確に絵で描くことができます。目と手が直結してるというか、情報を絵として出力する能力に、生まれつき長けているのだと思います。その能力をさらに高めるために、たくさんデッサンを重ねてもきたはずです。

小説の場合も同様で、「目に映ったものや感じた気持ちを、ふだんから脳内で言語化する」のは、たとえるならデッサン力を高める訓練です。これを繰り返していると、いざ小説を書くとなったときに、情景や心情を文章で表現しやすくなります。

ただし、言語は魔物でもあります。あらゆるものを常に脳内で言語化していると、非常に疲れるし、「ぎゃー！」と叫びたくなってくるので、無理はしないでください。

私は物心ついたときから、起きてるあいだはのべつまくなし、一人でくっちゃべっており（心のなかで、ですよ）、「だからよく寝るんだな」とつくづく思います。寝ることによって、脳内の言語化作業を強制的に止めているのでしょう。「常に心のなかでしゃべってしまいがち」なひとは、休肝日ならぬ休脳日をもうけ、ボーッとする時間も大事です。


この皿の冒頭で、「セリフ」や「描写」は、各人の感性や好みやリズムによるところ大、と書きました。でも、訓練というか、意識して心がけることによって、けっこうなんとかなる部分も多いな、という気がしてきた。あと、「他者や自分自身に興味を抱けるかどうか」も、大切なのかもしれません。「なになに？」と好奇心まんまんで自他を観察し、その結果をくっちゃべる。つまり、「近所のおばちゃん根性」。小説ってもしかして、そういうものでできているんじゃないかと思い当たったのでした。

「近所のおばちゃん根性」で日々を楽しく観察し、小説に活かしてみてください。

十二皿目

セリフについて（後編）
――さまざまな戦法の盛りあわせ

今年もまた、花見をせぬうちに桜が散っていきます。黄色い粒の襲撃から身をかわすため、仕事を口実に家に籠もっていたのがいけないのですが、気づけば一週間ぐらい、ほとんどだれともしゃべっていない。

このままでは、会話のお作法を忘れてしまうのではないか？　もともと会話をする相手がそんなにいないから、作法を忘れるのはまあいいとして、会話文を書けなくなってしまうのではないか？

そうなったら、おまんまの食いあげ！　それは困るので、この皿では「セリフの処理」について考えてみます。

以前に私は、「最近の応募作を拝読していて気づいた傾向」として、「一行アキの多用」を挙げました。加えてもうひとつ挙げるとしたら、「だれのセリフなのかがわかりにくい会話文がけっこうある」です。

どうすれば、セリフの発言者が登場人物Aなのか、あるいはBなのかを、はっきりさせられるのでしょうか。

一番簡単な解決策は、「と○○は言った。戦法」です。


「おはよう。朝飯食べる?」

とAは言った。

「いらない。二日酔いでそれどころじゃない」

とBは言った。


アホか、とお思いでしょうけど、まじで有効なんだって、「と○○は言った。戦法」は!

これじゃあまりにもあんまりだ、と思ったら、ちょっと変化をつけりゃいいのです。


「おはよう。朝飯食べる?」

とAは言った。

「いらない。二日酔いでそれどころじゃない」

と、Bは寝癖でぼさぼさになった髪の毛を整えながら答えた。


「と○○は言った。戦法」に関しては、藤沢周平の小説が非常に洗練されている、と私は思います。

藤沢周平のセリフの処理は、私の分析（？）では、オーソドックスな部類に入ります。引用はばかられるので、以下は私の捏造文章ですが、形式は藤沢周平のセリフの処理に則っているつもりです。


「おはよう。朝飯食べる？」

Aはフライパンに卵を割り落としながら尋ねた。透明だった卵の白身部分が、周縁からじりじりと白濁していく。

Bはそのさまを、Aの背後からぼんやりと眺めた。

「いらない」

「どうして」

とAは言った。

「二日酔いでそれどころじゃない」

Bは寝癖でぼさぼさの髪の毛を整えた。


私の文章なせいで、だいなし感がありますが……。つまりですね、藤沢周平のセリフの処理は、

「セリフ」

Aは～（地の文＝描写）。


が基本なのですが、ここぞというところで、

「セリフ」

とAは言った。

が来るのです。「と○○は言った。戦法」が炸裂です。これによって、アクセントがつくし、セリフの発言者がだれなのかも、よりはっきりします。読みやすくわかりやすいうえに、テンポがいい。私などが申すことではありませんが、「まじでうますぎるな、周平！」と感動します（作品の内容や文章の味わいが素晴らしいのは、もちろん言うまでもありません）。

ほかには、「宝塚戦法」ってのもあります。宝塚の舞台を見ていて気づくのは、「セリフのなかで相手の名をよく呼ぶ」ということです。

「待ってくれ、アンドレ！」
「どうした、オスカル」

みたいな感じですね（右記のセリフも、私の捏造です。念のため）。海外の翻訳小説を読んでいても散見される手法です。これは合理的！　名前を呼びかけることによって、最初のセリフの発言者はオスカル、二番目のセリフの発言者はアンドレなんだな、とすぐにわかります。アホか、とお思いでしょうけど、まじで有効なんだって、「宝塚戦法」は！

いまさらですが、藤沢周平や宝塚やオスカルやアンドレはアホじゃありませんからね。アホがいるとしたら、それは私だ！　すみません、せっかくの戦法を、アホな調子でしか説明できなくて。

「宝塚戦法」は、多人数の会話文が連続するとき、とっても使える戦法です。さらに、「と○○は言った。戦法」と組みあわせれば、鬼に金棒（かなぼう）。

さて、狂乱の酒宴から一夜明け、A、B、C、Dはゾンビのごとく寝床から這（は）いだした。

「だれだよ、とどめに『鬼ころし』の封を開けたのは」

とBは言った。

「Bだ」

Bを除く全員が、冷静に指摘した。

「なんで止めないんだよ！」

「わははー、典型的な逆ギレ」

「うん、Cは笑ってる場合じゃねえな。顔が真っ青だから、座ったほうがいい。そもそも、四人の宴（うたげ）なのに日本酒が三升、ワインが五本、ウイスキーが一瓶用意されてたのが

おかしい、と俺は思うんだが」

「ちょっと待ってくれ、Ｄ」

Ａは首をかしげる。「『おかしい』というのは、『三も五も一も、四で割り切れないじゃないか』ということか？」

「ちげえよ！　量だよ、量！」

「って言いつつ、Ｄが半分ぐらい飲んだじゃん」

Ｃはよろよろとダイニングの椅子に腰を下ろした。

「うるせえな。用意されてたんだから、そりゃ飲むだろ」

「まあまあ。朝飯食べる？」

Ａは率先して台所に立ち、フライパンを手にする。残りの三名は顔を見あわせた。

「あいつの食い意地って、相当だと思わないか、Ｄ」

とＢは言った。

「ああ。食い意地も相当だが、肝臓の頑丈さも驚くべきものがある」

「俺は決心した。もう一生飲まない」

Ｃは力なくうめき、ダイニングテーブルに突っ伏している。

「その決心を聞くの、二十八回目だぞ」

Dもがんがん痛むこめかみを揉んだ。

「なんだなんだ、だらしないなあ」

Aはフライパンに卵を割り落とした。「おまえは食うだろ、B」

「いらない。いま食ったら絶対吐く」

Bは寝癖でぼさぼさの髪の毛を整えた。


ほかにも、「登場人物それぞれに、異なる自称を割り振っておく戦法（私、俺、僕、拙者など）」「登場人物それぞれに、さりげなく異なる口調を割り振っておく戦法（たとえば、Aは比較的丁寧なしゃべりかた、Dは比較的べらんめえなしゃべりかた、など）」といったように、セリフの処理にはさまざまな手法や技があります。

小説を読むとき、「この作者は、どういう戦法を使ってるのかな」と、気をつけて見てみてください。なるべく分析・研究する視点で読んでみるのは、とても大切です。そして、「いいな」「だれがしゃべってるのか、わかりやすいな」と思う戦法を発見したら、自分なりに工夫して取り入れましょう。

どんなセリフの処理をするか、自分のなかである程度法則を決めておくのも大切です。私が見るところ、セリフの処理に関しては、大半の小説家に、それぞれ決まった法則というか癖がありますす（もちろん、作品の色合いなどによって、がらりとセリフの処理のしかたを変えてくるケースもありますが）。たぶん各人のなかで、「セリフは基本的に、こう処理しよう」という方針を定めているのだと思います。

なぜかといえば、ひとつのセリフを書くごとに、「ええと、このセリフはどういうふうに処理しようかな」といちいち考えていたら、執筆がさきに進まないからです。また、一作のなかでセリフの処理の方針がころころ変わったら、読者の混乱を呼び、「だれのセリフなのかわからん」という事態になってしまうからです。

法則や方針と言うと、「なんかシステマティックだなあ。もっと自分自身の情熱や思いを大事にして書きたい」と感じるかたがおられるかもしれません。でも、読者への伝わりやすさを第一とするなら、セリフの処理について、自分のなかである程度の法則や方針を作るのは当然だ、と私は考えます。また、試行錯誤していればおのずと、「私はこうすると書きやすいし、セリフの発言者がだれなのかがわかりやすいと思うな」という法則や方針が、自分のなかで作りあげられていくものなのではないか、とも思います。情熱とか思いとかは、セリフの中身自体、あるいは地の文にこめればいいのです！

いろんな小説を読んで、「セリフの処理＝どうすれば、だれのセリフなのかがはっきりするのか」を、ぜひ研究してみてください。

十三皿目

情報の取捨選択について
——建物や街の描写、文章仕立て

原稿書いてる場合じゃねえ、MUGENだ！（訳：コンサートチケット取るのに忙しくて締め切りに遅れます！）

……すみません、なるべくちゃんと仕事します。

夜ごと友人たちと、「どの会場から申しこんだらチケット当選しやすいか」の戦略を練る今日このごろですが、みなさまはいかがお過ごしですか？　私は、いまなら城を攻め落とせるかもという勢いで脳みそ回転させてます。諸葛亮（しょかつりょう）と呼んでくれてもいいんだぜ。この諸葛亮、連戦連敗ですがね。チケット争奪の戦（いくさ）、激しい……！　みんな希望の地にたどりつけますように。

さて、この皿では、担当編集さんが提案してくださったお題について考えてみます。パソコンに向かうふりをして、実は羽毛の扇（おうぎ）をぶんぶん振ってるだけの諸葛亮（私）に気づき、「こ

のままじゃ、いくら待っても原稿が来ない」と、お題をひねりだしてくれたもよう。編集さん曰く、

「舞台設定（建物や街）の、矛盾のない書きかたを教えてください」

とのことなのですが……。それ、私に聞く!? 校閲さんから毎回、「和室部分が異次元空間にあるとしか思えない間取りになっているのでは？」といったご指摘をいただき、自作を映像化していただいた際には、大道具さんや美術さんから、「階段どこにあるんですか？」「ここに物干し台って無理だから！」とあきれられてきたのに!?

とはいえ私も、一応は小説を書くまえに、間取り図とか地図とか作っています。空間把握能力に欠け、脳内で立体物を構築するのが著しく不得手なため、結果的に「トンデモ建物」や「トンデモ街」な描写になってしまっているだけで。……残念。

作中に登場する主要な部屋や家については、事前に間取り図を描いておき、ドアや窓の位置、家具の配置などを決めておいたほうがいいと思います。もちろん、外観や内装のムードも、必要に応じて絵に描いたり、参考になる写真を眺めたりして、ある程度は脳内で固めておきましょう。

それらすべてを、作中で文章化（＝描写・説明）するわけではないですが、作者自身が部屋

や家のイメージをつかんでおくのが大切です。イメージがはっきりしていれば、「ぼんやり描写」を避けることができると同時に、「どこを文章で描写し、どこを読者の想像に委ねるかの選別」も的確にできるようになるからです。

間取り図を描く際に肝心なのは、スケール感です。たとえば、部屋の詳細な間取り図を描いたとしても、その一室が「小学校の運動場ぐらい」なのか「六畳」なのかを、作者がちゃんと把握していなければ、文章化するときにやっぱり「ぼんやり描写」になってしまいます。「ドアから部屋の奥まで、何歩ぐらい」とか、「何畳ぐらいの部屋」とか、間取り図を描きながら、スケールも脳内で固めましょう。

こうして作成した間取り図をもとに、室内や家屋について文章で説明・描写する局面に差しかかった。このときに肝心なのが、「どこを文章で描写し、どこを読者の想像に委ねるかの選別」です。

部屋にある家具や、その配置を、いちいち説明していては話がさきに進みません。写真や映像だったら、「どういう部屋で、どこにどんな家具があるのか」を、ほとんど一瞬で伝えられます。しかし小説は、文章のみで表現するものです。読者の想像に適宜(てきぎ)委ねつつ、作品にとって大切だと作者が判断する部分(「このベッドに注目してください」「こういう雰囲気の部屋なんです」）へと、さりげなく読者の注意を誘導する必要があります。

小説における描写とは、「事細かに説明すること」ではありません。読者の想像力をよりかきたてるための、「材料」なのです。小説において、「写真や映像のように、細部まで忠実に文章でスケッチする」のは、実は描写ではない、と私は思います。「文章を通して読者の想像力が刺激され、写真や映像のように人物や場面が脳内に浮かんでくる」のが、うまい描写なのです。

「読む」というのは、積極性を求められる行為です。読者は積極的に、小説の文章からなにかを汲み取ろう、感じ取ろうとしつつ、読んでくれているのです。そういう読者の想像力を信頼し、委ねる勇気を持ちましょう。

つまり、なにもかもをのっぺりと文章で説明するのではなく、写真で言えば「ピントを合わせる」感じ、映像で言えば「編集する」感じで、「ここ！」という部分や雰囲気を読者に伝える。「ここ！」を自信を持って選択するために、事前の間取り図作成やイメージの把握は大切なのです。

ぴったりの例とは言えないかもしれませんが、拙著『あの家に暮らす四人の女』（中公文庫になってるよ。小声でCMでした）から、室内の描写を挙げます。

佐知の部屋は西と南に窓があり、位置を高くしつつある日が後者から差しこんでまぶしかったが、カーテンを閉めもせず眠りに落ちた。

濡れた頭にバスタオルを巻き、ベッドに突っ伏して寝る佐知は、巨大なこけしのようだった。しかし、その姿を目撃した生あるものは、ちょうど窓の外を羽ばたいてよぎったカラスのみだった。


主人公の佐知の部屋は、「二階の角にある」という設定です。そのため、二方向に窓があります。私の脳内では、部屋のドアを開けて右手に西向きの窓、正面に南向きの窓、左手の壁際に机、ベッドは頭のほうの短辺が南向きの窓に接し、長辺の片方は西向きの窓に接している、とイメージされています。

しかし、そこまで綿密な説明は必要ない、と判断しました。この場面で読者に伝えたい肝心な部分は、「佐知は布団を敷くのではなく、ベッドで寝ている」「ベッドは窓辺にあるらしい」「表を飛ぶカラスの目から、ベッドにいる佐知が見える位置らしい（なぜこれが肝心なのかというと、のちのちカラスが話の展開にかかわってくるので）」ということだからです。

たとえば、

佐知はベッドに突進した。部屋のドアを開けて、右手にあるベッドだ。ベッドは南向きの窓と西向きの窓の角にはまりこむように置いてあって……

などと書いてしまうと、いきなり情報がいっぱい押し寄せることになり、読者は混乱します。「描写」ではなく、読者が想像力を発揮する余地のない「説明」になってしまっている、ということです。

読者が混乱する一因は、「佐知はベッドに突進した。部屋のドアを開けて、右手にあるベッドだ。」という情報提示の段取りのまずさにもあります。

「佐知はベッドに突進した。」という一文を読んだ瞬間、読者はそれぞれの脳内で、ベッドの位置を想像します。ドアを開けて正面にあるのか、右手にあるのか、左手にあるのか、読者は思い思いに「絵」を描くのです。

ところが次の一文で、「部屋のドアを開けて、右手にあるベッドだ。」と明かされる。すると、正面や左手にベッドがあると想像していた読者は、脳内で描いた「絵」の修正をしなければなりません。これは非常に疲れることだし、何度も修正を要求されたら、「なんだこの小説。ちっとも『絵』が浮かばない」とイライラしてくるでしょう。

だから、ある程度は読者の想像に委ね、伝えたいところをうまく取捨選択して、「描写」することが大事なのです。

街についても同様です。架空の街ならばなおさらに、事前に地図を描くなどして、イメージをつかんでおきましょう。その際もやっぱり、スケール感を意識します。たとえば、通りの端から端まで歩くと何分かかるのか。街Aから街Bまで何キロあって、徒歩あるいは乗り物でどのぐらい移動時間がかかるのか。

こういうスケール感をつかむためには、地図を眺める習慣をつけるのがいいと思います。「最寄り駅から会社まで、電車で三十分かかるけど、距離は何キロぐらいなのかな」「家から最寄り駅まで、歩いて十五分かかるけど、距離は何キロぐらいなのかな」と地図で確認し、作中で街などを設定するときの指標にするのです。「一時間歩いた移動距離は、だいたい四キロぐらい」といったことも、体感ないし把握しておけば、説得力のある街づくりができます。

そうだ、建物や室内、街などの描写について研究するには、特に本格ミステリを読むことが有効ではないか、と私は思っています。まあ、研究のために読んでるのではなく、ただ単に好きだから読んでるのですが。しかし、「描写の勉強になるなあ」と感じることが多いのも事実です。

なぜなら本格ミステリではしばしば、嵐で島が孤立したり、吹雪で山荘に閉じこめられたりするからです。そこで殺人が起きるわけですが、「孤立した島内の、どこにどんな建物があって、どういうふうに道が通っているか」とか、「山荘の間取りはどうなっていて、どの部屋にだれが泊まっているか」とかが、ものすごく的確に描写される。状況がちゃんと説明され、情報提示がフェアに行われてこそ、読者は探偵と一緒になって、「だれが犯人なんだろう」と推理することができるのです。

そのため本格ミステリでは、建物や街の描写が比較的緻密かつ、「どこを文章で描写し、どこを読者の想像に委ねるかの選別」がものすごく洗練されているのだと思います。「読者の脳内に『絵』が浮かぶような描写が、なかなかできないなあ」とお悩みのかたは、ぜひ本格ミステリをお読みになってみてください。

十四皿目

取材方法について
――お邪魔にならぬ程度に

おい、もうとろけそうだぜ。なんとかならんのかこの暑さ。毎年、極力冷房をつけずに夏を乗りきってきたのですが、今年はさすがに命にかかわるなと思い、冷房のお力を借りて就寝しています。

そうしたら永眠という勢いでよく眠れる！　一日十四時間ぐらい寝ちゃう！　かえって生命の危機!?　冷房をつけたうえで、毛布にくるまって眠るのって極楽ですな。サウナの直後に水風呂に入るみたいな、「じゃあ最初から適温の湯に浸かってればよかったんじゃ……」的矛盾（?）を感じもするのですが、しかし気持ちいい。やめられない！　睡眠に大幅に時間を取られるので、仕事がまったく進みません。すべて夏のせいだ。

ひと（?）のせいにしたところで、ひとつ「小説の取材方法」について考えてみようじゃないか。

私は実在する芸能や職業を題材にした小説を書くことがあるので、「どうやって取材してるんですか？」「取材してみたい職業があるのですが、ツテがない場合はどうしたらいいですか？」と、小説家を志すかたから、たまに質問をいただきます。たしかに、「たまたま知りあいが就いている職業に興味を抱いた」というケースでもないかぎり、ツテはゼロの段階から取材をはじめなければなりません。

すでに小説家としてデビューし、担当編集者がついてくれている場合は、編集さんを通して該当の職業に就いているひとを探してもらい、取材の申しこみも編集さんを通して打診してもらうってことも可能でしょう。ただ、作者がそこまで受け身（編集さん任せ）な姿勢だと、あまりうまくいかない気がします。実際に取材し、取材相手になるべく心を開いてもらえるように話をうかがうのは、作者本人ですから。

なので、「書きたい」と思う職業などがあって取材するとき、小説家としてデビューしていようといまいと、方法や条件はほぼ変わらないのではないかと思います。私の場合はどうしているかを説明しますね。ご参考になれば幸いです。

たとえば、『風が強く吹いている』という箱根駅伝を題材にした小説を書いたとき（新潮文庫になってるよ。小声でＣＭでした）。「箱根駅伝の小説を書きたい！」と思ったのは、小説家として本を一冊出しただけの、デビュー直後のことでした。当然、ツテはなにもない。箱根駅伝に出場したひとが身近にいないのはもとより、「担当編集者」という概念すらもほぼない状態です。

では、どうしたか。「箱根駅伝の小説を書きたい」と、まわりに言いふらしまくりました。ここが肝心です。「ツテがないな」と思ったらとにかく、「知りあいに○○の関係者はいませんか？」と周囲に聞くのです。相当めずらしい職業などであっても、数を撃っていれば必ず、「それなら、知りあいの親戚にいるよ」といった反応がいつかは返ってくるはずです。「友だちの友だちはみな友だちだ戦法」です。

私は運よく、わりとすぐにツテが見つかりました。学生時代にアルバイトをしていた本屋の店長さんが、箱根駅伝観戦が好きだったのです。しかもその本屋さんでちょうど、大学で長距離をやっている女性がバイトをしていることが判明。彼女はかなり有望な長距離選手で、本格的に競技に打ちこんでいる子だったので、長距離についていろいろ教えてもらえました。練習も見せてもらいましたし、箱根に出たことのある実業団の選手とも知りあいだったので、紹介してもらうことができました。

紹介してもらってなにをしたかというと、みんなでわいわい飲みました。「遊んでるだけじゃねえか」と思われるかもしれませんが、これも肝心なのです。言い訳じゃなく、まじで。べつに必ず飲み会をしなきゃいけないわけではありませんが、初対面の相手と手っ取り早く打ち解ける際、お酒ってわりと有効なのは事実です。楽しく飲んでしゃべっているうちに、彼らがどんなに真剣に競技に取り組んでいるか、どういう苦しみや喜びがあるのか、伝わってきました。それでますます、「やっぱり箱根駅伝の小説を書きたい」という思いが強くなりました。

同時並行で、箱根駅伝にまつわる資料を読んだり、過去の大会のビデオを仔細に見たりしました（ビデオは本屋の店長さんが貸してくれました。箱根駅伝オタなので、毎年の大会を録画しておられたのです！）。予選会や本選にも足を運びました。

この時点で、どこの出版社とも刊行の話はしていません。出版してもらえるかどうかわからないけれど、とにかく勝手に取材していました。「書きたい」という情熱って大事ですね……。ただ単に、箱根駅伝を知れば知るほどおもしろくて、箱根駅伝オタになってしまっただけではという気もしますが。取材においては、オタク気質の粘り腰というのも大事です。いや、言い訳じゃなく、まじで。

数年をかけて、資料を調べたり大会を見物したりして、どういう登場人物たちにするか、どういうストーリーラインにするかを固めました。その段階で、親しい担当編集者に、「実は、箱根駅伝の小説を書きたいと思って準備してまして」とはじめて打ち明けました。私にしては詳細なプロットなども作成し、どんな小説になりそうかを説明したのです。デビューしてから数年のあいだ、箱根駅伝の取材のかたわら、ほかの小説も書いていたので、そのころには「担当編集者」という存在も現れていたのであります。よかったよかった。

編集さんはおおいに乗り気になってくれました。「けっこうなページ数になりそうだし、取材もまだ重ねたいから」ということで、連載ではなく書き下ろしで刊行しようと決め、そこからは編集者を通して、正式に取材の申し入れをしました。

箱根駅伝は「関東学生陸上競技連盟」という団体が主催しているのですが、私のように海のものとも山のものともつかぬもんが、いきなり「取材させてくれ」と言っても、警戒なさるかもしれませんからね。出版社という「会社」を通せば、「あ、本気で取材しようとしてるんだな」と安心してもらえる場合もあります。「立ってるものは親でも会社でも使え戦法」です。

とはいえ、さきにも述べたとおり、実際に取材するのは作者本人です。どういう大学を取材したいのか、なにを見たいのか、どんな選手に話をうかがいたいのか、方針を定めて動かなければなりません。でもま、あまりむずかしく考える必要はないと思います。「ここをもっと知りたいな」「楽しいな」という気持ちの赴くまま、しかし相手のお邪魔にならぬよう気をつけつつ、見学したりおしゃべりしたりすればいいのではないでしょうか。

ポイントをまとめます。

一、とにかく言いふらして、ツテを探す。「友だちの友だちはみな友だちだ戦法」を発動する。

二、資料を読んだり話を聞いたり現場に行ったりと、自分で動く。必要に応じて、「立ってるものはなんでも使う戦法」を発動する。

三、相手の邪魔をせず、しかし自分の心の動きに正直に、見学したり質問したりする。

実際に取材相手のかたと会って、お話しをうかがう際に気をつけているのが、先述のとおり、「なるべくお邪魔をしない」です。

取材の時点では、その小説がちゃんと形になるかどうか未知数です。にもかかわらず、相手は貴重な時間を割いて取材に応じてくださっています。小説に協力する義理なんざ、なにもないというのに！　私はいつも、ありがたさと恐縮でぶるぶる震えます。

もし私のもとに、「小説を書きたいので、取材させてください」と打診が来たら、「……え、なに？　どういうこと？」とわけがわからないし、警戒すると思います。でも、これまで取材させていただいたかたはみなさん、わけのわからなさと警戒をかなぐり捨てて、とても親切に話を聞かせてくださいました。当然ながら、私の書いた小説を読んだことがないかたも大勢いらっしゃいましたが（ていうか、むしろそれがフツーだ）、それでも一肌脱いでくださったのです。

だから、小説家としてデビューしているか否かは、まったく関係ありません。取材相手が貴重な時間を割いてくれていることを肝に銘じて、丁重に、誠実に、お話しをうかがえば、先方も親切にいろいろ教えてくださいます。

話をうかがう際、私はなるべく、メモを取らないようにしています。いきなりの打診で、相手はただでさえ緊張、警戒なさっているのに、いかにも「取材」なムードを醸しだすと、率直な話をしにくく、あまりうまくいかないことが多いからです。事実関係などで確認したいところがあったら、あとで改めてメールや手紙で質問すればいいのです。それよりも、相手のたたずまいや口調などに注意を払いつつ、会話に集中したほうが、実りの多い時間になる気がします。もちろん、取材が終わったら忘れないうちに、うかがった話のポイントを猛然とメモしておきましょう。

ノンフィクションの取材や、細かい数値などが肝心となるケースでは、またまったくべつだと思いますが、小説の取材の場合はなによりも、「相手がどんなひとなのか」を感じ取るのが大切なのではないかと思っています。小説はあくまでもフィクションなので、「取材でうかがった話を、テープ起こししたみたいにそのまま書く」ということにはならないですからね。

あと、これまたさきに述べたとおり、もし機会があったら、一緒にご飯を食べたりお酒を飲んだりするのもいいと思います。なぜか人間、同じ場でしゃべりながら胃袋を動かすと打ち解けられる。不思議ですね。

「知りたいな～、楽しいな～」と感じながら取材を進めていくと、自然といいエピソードを聞けたり、思いがけない場面に出くわしたりするものです。とにかく、あまりしゃちほこばる必要はありません。相手の都合を尊重し、敬意を持って、話に耳を傾ける。「小説のために、なにかを引きださなくちゃ」とガツガツ迫るのではなく、ふだんどおり人間と人間のおつきあいを心がけていれば、それで大丈夫です。

取材を通し、楽しく素晴らしい出会いがみなさまに訪れますよう、お祈りしています。

お口直し・その二

好物は人間（語弊がある）

どうですか、なんか様子のおかしい皿がありませんでしたか。「え、気づかなかった」というそこのあなた、相当の猛者ですね。心でガッキと握手させてください。拳は大事なもんを守るためと、あと握手に使うもんだ（すぐ『ハイロー』の名言を織り交ぜてしまう症状をなんとかしたい）。

さて、本コラム直前の皿で取材方法について説明したが、「吾輩、極度の人見知りなのに、どうせえっちゅうんじゃ」と不安になったかたもおられるだろう。答えは簡単で、取材を必要としない内容の小説を書け！　以上、解散！

すまん、解散が早すぎた。まだまだコラムの行数あるので読み進めていただきたいのだが、とにかく、ひとと会うなんて苦行以外のなにものでもない、というかたは、無理にでも取材しなきゃなどと思わず、脳内王国をひたすら小説に叩きつけてやればいいのである。

とはいえ、自分の脳内だけで完結しすぎてしまうと、作品世界が狭くなったり、アイディアが枯渇したりという危機を迎えることがあるので、資料となりそうな本を読んだり、ネットで信頼できそうな情報を探したりなど、家にいてもできる「取材」は心がけてみてくださいね。

そういうわけで、人見知りでもひときらいでも無問題なんですが、ただひとつ、

「人間に興味がない」ひとは、たぶんあまり小説家には向かないのではないかと……。たとえ動物や虫や宇宙人が主人公の小説であっても、作者が人間に興味がない場合、ちょっとうまくいかないかもと懸念される。なぜなら、読み手が人間だから！　しかしまあ、人間にまったく興味がないのに、なんで小説書こうと思っちゃったのか、というところを突きつめれば、ものすごい傑作になりそうな気もするので、くじけないでほしい！

　ことほどさように、小説の題材なんてなんでもいいし、自分の内外にひそんでるものだから、気楽にかまえるのがよろしかろう。年齢を重ねるにつれ、「ヒトミシリ？　ホワーッツ？」てな具合に、いい塩梅で厚顔無恥になり、気づいたら突撃取材を敢行してた、なんてこともあるかもしれませんしね。「せっかくいいアイディアを思いついたのに、引っ込み思案で取材ができないばかりに……！」などとあせったり絶望したりしなくて大丈夫です。脳内王国の開陳に徹したいという気持ちは、まちがっちゃいない！

　また『ハイロー』の名言を織り交ぜてしまったぜ。以上、解散！　いや解散が早いって。まだまだ皿が繰りだされるので、胃薬のご用意をお願いします。ひきつづき様子のおかしい皿があるかもだけど、気にせず消化してください。

十五皿目

タイトルについて
——三つの発想法を駆使して

拙宅に遊びにきた母と、おやつにカステラを食していたら、「あんた、そのボサボサの頭、なんとかしなさいよ」と唐突に言われた。昼夜逆転生活のなか、突然訪問してきた母に叩き起こされ、しかし文句も言わずカステラを振る舞っている娘に対して、なんという言いようだろうか。寝起きなんだから、そりゃ頭もボサボサで当然であろう。

ちょうどそのとき、母と私は『HiGH&LOW THE MOVIE 3／FINAL MISSION』のDVDを鑑賞中だったので、

「琥珀さん（登場人物）の頭だってボサボサだよ」

と言ったら、カステラ片手に画面に釘付けになっていた母は、

「顔のきれいなひとはボサボサだっていいの」

と、深い確信の籠もった口調で答えた。

なるほど、そりゃそうだ。むちゃくちゃ納得したのであった。

琥珀さんはボサボサでもいいが、私はボサボサじゃあかん！

「なんの話かわからん」というひとは、『ハイロー』シリーズをご覧ください。それまで角刈りだった琥珀さんが、映画シリーズ三作目にして急にイメチェンするので、「どうしちまったんだよ琥珀さん！」と驚きます。

しかし平日の昼間っから、『ハイロー』鑑賞してる七十代と四十代の母子ってどうなんだろうな。母はさすがにバリオタを生んだだけあって、「どこかが（いい意味で）過剰な創作物」が大好きなもよう。私が『ハイロー』のDVDを見ていると、「猫まっしぐら」的な勢いで食いつきます。母のお気に入りはROCKY（ロッキー）さんらしく、彼が活躍するたびにとろけ、彼が殴られたりしようものなら、「ああっ、お召し物が汚れてしまう……！」と嘆く。乙女心に年齢は関係ないのだなと、端（はた）で見ていておもしろいです。

さて、この皿では「タイトルのつけかた」について考えてみます。と言っても私、タイトルを考えるの苦手なんだよな……。

ただ、応募作を拝読していると、「ふんわりすぎて（しかも長い）、どんな内容の話なのか推測しにくい」タイトルや、「盛大にネタバレしすぎ」なタイトルがたまに見受けられ、もったいないなと思うことがあるのも事実。タイトルはその小説の看板なので、なるべくしっくりするものを掲げたいものです。

登場人物の性格やセリフなどと同じく、タイトルに関しても、作者それぞれの好みや感覚によるところが大きいので（つまり、読者の好みが大きくわかれるところ、とも言える）、「こうやってタイトルをつければ万全」という法則はないのですが……。

それを言ったら、小説の書きかた全般に法則なんざないのだが、「じゃあなんで貴様にアドバイスなぞされなきゃならん」ということになって、この本の存在意義が危うくなるので、そこに関しては蓋（ふた）をする。豆を煮るときは、蓋を取ってはいけないのですよ……。なに言ってんだ、私。誤魔化しかたがいいかげんすぎるだろ。

これまでどんなふうにタイトルをつけてきたかな、とつらつら思い返してみて、どうやら私の「タイトル発想法」には三パターンあるらしいことに気づきました。ほかにももっとパターンがあるとは思いますが、少なくとも私は、三パターンっぽいです。以下で説明してみますね。ご参考になればいいのですが……。

一、まんまやんけ発想法。
『まほろ駅前多田便利軒』（まほろ駅前で便利屋を営む多田さんの話だから）
『あの家に暮らす四人の女』（古い洋館に住む四人の女性の話だから）

ひねりが……、ない！

いや待って、言い訳させてください。これらは連載だったんですよ。連載ってことは、まだ小説自体をなんにも書いてないうちから、「連載開始予告」とかが雑誌に載るってことです。編集さんは当然、「今度連載がはじまる小説のタイトル、なんにしますか？」って聞いてくる。こっちとしては、「げっ、まだなんも書いてない……」と思いつつ、それを気取らせてはならんと過度に落ち着いた口調で、

「そうですね……、タイトルは『まほろ駅前多田便利軒』以外にありえへん、という思いでおりますね……」

などと答えるのであった。

まんまやんけタイトルは、こうしてできあがる。

でも、もちろん利点もあります。なんといっても、タイトルから内容を推測しやすい！　あ

と、『あの家に暮らす四人の女』に関しては、「小説の視点問題（小説とは、だれが語っているものなのか）」について、少々目論見を持って書こうと思っていたので、「だれが『あの家』って言ってるんだよ」と、引っかかりを感じていただければなと願ってつけたタイトルでもあります。

まんまやんけタイトルにも、深謀遠慮をひそませることができるのです。と、えらそうに言ってみたが、『まほろ』に関しては深謀遠慮などなにもない、まごうことなきまんまやんけタイトルですな。面目ない。

まんまやんけタイトルは、ある意味単純な発想だからこそ、あまり飽きがこなくていいのではないかと……（自己弁護）。

まんまやんけタイトルをつけるときに、気をつけたほうがいいかなという点は、「説明的になりすぎない（タイトルでのネタバレを防ぐという意味でも）」「リズム感を重視（あまりに長すぎるタイトルにしてしまうと、リズム感がなくなり、覚えてもらいにくい）」です。

二、象徴発想法。

『風が強く吹いている』（箱根駅伝に関する小説）

『仏果を得ず』（文楽に関する小説）
『舟を編む』（辞書づくりに関する小説）

これは、作品の内容を象徴するようなタイトルをつける、ということです。「あたりまえだろ、タイトルってそういうもんだろ」と思われるでしょうけれど……。面目ない。

ポイントは、「中身を読めば、『ああ、このタイトルはこういう意味だったのか』とわかる」ということです。いくら「象徴」といっても、「読んでも読んでも、ふんわりしたムードを伝えてくるだけのタイトル」は、避けたほうがいいと個人的には思っています。タイトルと中身がバシッと呼応してこそ、象徴タイトルは活きる！

また、象徴発想法にも、いろんなパターンがあります。

たとえば『風が強く吹いている』は、連載ではなく書き下ろしでした。なので、ずっとタイトルを決めないまま、千四百枚ぐらい書いた。そこから本にする段階で、「さて、タイトルどうしよう」と考えていたところ、ちょうど箱根駅伝の中継で、アナウンサーのかたが「風は強く吹いています」と言ったのを聞いて、「これだ！」と思ったのです。原稿を読み返してみたら、けっこう「風」の描写があるし（なにせ「走ること」についての小説なので）、しめしめ、ってなもんです。

全部を書き終えたあとでも、象徴発想法のタイトルがうまくはまることはあるし、はまらないとしても、いい象徴タイトルを思いついたら、原稿のほうをタイトルに寄せて、ちょびっと加筆修正すればいいということですね。

『仏果を得ず』は連載だったので、最初からタイトルは決めていました。これは、『仮名手本忠臣蔵』のなかにある「仏果を得よ（＝成仏せよ）」というセリフをもじったものです。『仏果を得ず』では、主人公がラストで到達する地点（「成仏なんてするもんか」）が連載開始まえから見えていたので、こういうタイトルにしました。象徴発想法プラス、次項で述べる逆説発想法でもあります。

私としてはすごく気に入っているタイトルなのですが、弱点もあるなと思いました。というのは、ラストのほうまで読まないと、なんで『仏果を得ず』なのか、タイトルの意味がわからない。これはちょっと、読者のかたにストレスをかけてしまうタイトルだったかもなあ、と反省しました。

そこで、『舟を編む』です。これは、辞書を「舟」にたとえ、辞書を編纂（へんさん）するひとたちの話だから、「編む」なのです。考えてみれば、象徴発想法とまんまやんけ発想法の合わせ技ですな……。いろんな発想を組みあわせ、なんとかひねりだすのがタイトルということです！

『仏果を得ず』の反省を踏まえ、『舟を編む』では、小説のかなり冒頭のほうで登場人物に、「辞書は『舟』であり、俺たちはそれを『編む』のだ」的なことを語らせました。万全だ……。これで、「タイトルの意味がわかんねえよ」と悶々とすることなく、お読みいただけるはず！

と自信満々だったのですが、「ラストでタイトルの意味がわかったときはすっきりしました」というご感想をちらほらいただき、「あっれー？」と思いました。そっか、そりゃそうだよな。冒頭のことなんて覚えてないし、読み流しちゃうよな。すみません。

ことほどさように、ぴったりのタイトルをつけるのはむずかしいです、はい。

三、逆説発想法。
『光』（むっちゃドス黒くて、どこにも光なんかない話）
『愛なき世界』（本当はこの世界には愛があふれてるんじゃないかな、というところに着地する話）

私……、さっきから「タイトルのつけかた」について必死に説明しようとするあまり、盛大に自作のネタバレをしてしまっているんじゃなかろうか。まあいい。俺の屍を越えて、みんなでバスティーユを陥落させてくれれば本望だ（『ベルばら』参照）。「こいつ、哀れだな……」と思われましたら、「着地点はすでにわかってるけど、まあ読んでやるか」と拙著をお手に取っていただければ、もっと本望であります。ステマ（？）。

昨今、ネタバレに敏感な風潮のようですが、たいがいの創作物は、「ラストがどうなるか」ではなく、そこに至る過程とか細部とかを味わうのがオツなものですからね。着地点がわかっちゃっても、お楽しみいただけるのではないかと……！（必死）

そう言いつつ私も、『カメラを止めるな！』をまだ見られてないので、予告編すら目にしないよう気をつけてますし、推理小説の犯人を明かされたら激怒しますが。怒るわりに、犯人の名前をすぐ忘れるから大丈夫なんだけど。同じ推理小説を何度も読んで、「すごいトリックだなあ」と毎回新鮮に驚くんだけど。

……なんの話だっけ。そうそう、逆説発想法だ。この場合気をつけたいのも、やっぱりなんらかの形で、内容に呼応してたほうがいいってことだと思います。

『光』は、「光」という単語を、作中の「ここぞ」というところだけで使うよう心がけて書きました。そうすることで、「なんで、こんなに暗くていや～な話が、『光』なんだろう。この小説のなかで、光とはどんなものだと想定されてるんだろう」と、読み終わったあとにも思いをめぐらしていただければなと願って。うまくいったかはわかりませんが。

『愛なき世界』については、「愛」という概念のない植物を研究してるひとたちの話なので、『愛なき世界』。その点では、まんまやんけ発想法でもありますね。ただ、熱心に研究する人々の心のなかには、植物に対する愛があるし、もっと言えば、精妙な仕組みを持った多種多様な生き物のいる地球って、愛にあふれてるじゃん？　ピース！　なので、「愛ある世界」でもある。そんな逆転の発想からつけたタイトルです。

そうだ、気をつけたほうがいいかも、という点をもうひとつ思い出しました。

最近では小説の情報を、ネットで入手することが多いですよね。つまり、検索をかける。そのとき、たとえば『光』というタイトルだと、多用される一般名詞すぎて、むちゃくちゃいっぱいヒットしちゃうんです。だから、『家具』とか『足』とかいったタイトルは、避けたほうがいいのかもしれません。それでいくと、芥川龍之介の『鼻』もダメってことか。世知辛い世の中だぜ。

もちろん、作品にとってぴったりのタイトルであるのが肝心ですから、あくまでも「ちょっとお心にとどめておいてみては」ぐらいのことです。

ちなみに、『H・iGH&LOW』がいかなる理由でこのタイトルになりしかは、気に入ったものを何度もねちこく眺めて分析してしまう拙者のオタク力をもってしても、計り知れないところがある。強いて言えば象徴発想法なのかなと思うが、「しかし、作中に『LOW』な部分がまるで見受けられないような……」という気もして、いまいち確信が持てない。

それもいたしかたなかろう。常人の発想を軽々と超越してみせる突破力に満ちているのが、『ハイロー』の魅力だからな。

あ、『ハイロー』って略せるのも、このタイトルのいいところですね。『世界の中心で、愛をさけぶ』略して『セカチュー』もそうですが、親しみやすく略せるかどうかも、重要なポイントかもしれません。でもこればっかりは、創作物を見たり読んだりしたかたの愛情によって自然発生するものですから、作り手が意図できる範疇を超えてますな。

とにかく、作品にとってぴったりの看板になるよう、いろんな発想法を組みあわせてタイトルを考案してみてください。

十六皿目

情報提示のタイミングについて

――情景や登場人物を思い浮かべて

もうさー、書くことないよ。と皿ごとに言ってる気がするのだが、実際に書くことがないんだ。なぜなら小説を書くにあたってのアドバイスなんて、そんなの私には無理だからだよー！　え、じゃあこれまでの十五皿は、いったいなんだったのか、って？　必死に絞りだしたんだよー！　丸めて燃やして海に捨ててくれ！（不法投棄）

身も蓋もないことを申せば、小説を書く際に要求されるのはたったひとつ。「センス」です。でもそんなことを言ったら話が終わっちゃうし、「私にはセンスなんてない……」としょんぼりしてしまうかたもおられるでしょう。

早計だ！　センスを才能（もっと言えば「天賦の才」）のことだと考えるのは、早計だ！

よろしいですか、みなさん！（自分で勝手に話題を振っておきながら、勝手に詰問口調になる）「あのひと、ファッションセンスあるねー」と言うじゃないですか。でもそのセンスって、生まれ持ったものでしょうか？

否！　服を着て生まれてくる赤子など一人もおらん！　ファッションセンスがいいひとは、たぶん雑誌を眺めたり、直接お店に足を運んでいろんな服を見たり、失敗を重ねつつも果敢に服の組みあわせを試みたりしながら、自分に似合う装いを見いだしていったのだと思うのです。

つまり、センスっちゅうのは天賦の才などではない。向き不向きはちょっとはあるかもしれないし、天才もごく一握りはいますけど、センスの内実は、「後天的に獲得するもの」なのです。

小説を書くのも同じです。試行錯誤して後天的に身につけていったセンスで書くのです。天賦の才で書くのだ、と勘違いして、努力も研究も読者への心くばりもせず、ボーッとしてる（ように思える）やつを見ると、あたしは胸ぐらをつかんでがくがく揺さぶり、「目ぇ覚ませ！」と言いたくなる。貴様は、鼻くそほじりながらパソコンに向かってれば、いつか傑作が書けるはず、なぜなら才能があるから、とか思ってんのか？　才能なんかだれにもねえよ！　あるのは、たゆまずセンスを磨きつづけようとする意志だけだよ！

すみません、激熱になってしまって。この原稿書くたびに思い知らされるのが、私、小説に関しては、読んでるときも書いてるときもかなり高血圧なんだな、ということです。いや、身体的にも最近高血圧ぎみですし、たとえばＥＸＩＬＥ一族に対しても精神的に高血圧状態ですけど、なによりも小説について考えるとカッと血圧が上がる。ま、小説が好きなんでしょうね……。「好き」とか言うの照れますが（↑心が中学生）。

えーと、なんだっけ。そうそう、「私にはセンスなんてないし……」としょんぼりしてる暇があったら、磨くのです！　センスを！

誕生の瞬間からしゃべれたひとなんて、お釈迦さまぐらいしかいません。赤子が素っ裸で生まれるように、言語も後天的に会得したものです。ということは、言語を駆使して表現する小説においても、ファッション同様、努力と試行錯誤によってセンスを磨いていけるということです。

しかしむずかしいのは、センスのありようって千差万別だという点です。好きな服と似合う服がちがうように、「こういう小説が好きだな」と思っても、自分が書きやすいのは好みとはまったくべつのタイプの小説だった、ということはよくあります。また、得意とするファッションの傾向がひとによってちがうように、小説を書く際にも、あるひとにとってはすんなり飲みこめるポイントが、べつのひとにとっては理解したり体得したりするのに時間がかかる、ということもあります。

「人称／視点」とか「構成」とかは、わりと論理的に説明できる大枠の部分なので、小説を書こうとする大多数のひとにとって、「ああ、そういうことね」と頭で理解しやすい（理解して、それをうまく実践するためには、もちろん試行錯誤が必要ですが）。しかし、「どういう登場人物にするか」とか「セリフ」とかは、個々人の好みや、試行錯誤の結果体得したセンスに左右されるところ大なので、「こうするといいですよ」と一般化するのがきわめて困難なのです。

そのため、このコース料理（？）も皿が進むにつれ、いよいよ食材が乏しくなっていく、というわけなのでした。長い言い訳であった。とにかくもう、俺なぞにはアドバイスできん領域だから、おのおのがた、のびのびとセンスを磨いてくだされ！（放任主義）

これまで応募原稿を拝読してきて、「ここがよくなると、もっといいのにな」と感じることが多かったのが、「情報提示のタイミング」です。どうしたら情報提示のタイミングがばっちり決まるのか、具体的な方法論をあれこれ考えてきました。でも、思いつかないの……。作品によって適切なタイミングが異なりすぎて、「こういうふうに心がけるといいと思うよ」と一言では言えないのです。たぶんこれも、センスがかかわってくる領域のことだからでしょう。

たとえば推理小説で、犯人が当初からあからさまに犯人めいた振る舞いをしていてはだいなしです。そこはうまく伏せつつ、しかし犯人が判明してから読み返すと、「なるほど」と思えるような言動をさせる（＝フェアな情報提示をする）って、神業（かみわざ）か！　私には絶対に推理小説は書けません。好きな服と似合う服はちがう、ですね。でも、情報提示の塩梅を学ぶのに、推理小説はうってつけでは、と思います。

コバルト短編小説新人賞の選考をさせていただくようになって、「ほう」と思ったのは、「登場人物の年齢や外見をなるべく早く情報提示したほうがいい」という法則があったことです。

もちろん、これは絶対の法則ではありません。ただ、登場人物の魅力を前面に押しだす作品の場合、納得のいく法則です。早めに、さりげなく、登場人物がいかなるひとなのかを（外見も含めて）情報提示し、読者に脳内で姿を思い浮かべてもらいやすくすれば、そのぶん、登場人物への思い入れも増します。

漫画家さんでも、まずはスケッチなどを重ねて、外見から登場人物をつかんでいく、というかたがおられるようですし、ＢＬ小説でも、外見も含めた登場人物の設定書を作ってから書く場合がある、と聞いたことがあります。いずれも、登場人物の魅力が作品自体の魅力と大きく関係してくる創作物なので、「なるほど」と思いました。

私自身は、登場人物の外見描写を極力しない派です。特筆すべき外見の登場人物があまりいないので……（自作の登場人物たちよ、気を悪くしないでほしい！）。私の文章力だと、いくら描写を重ねても、「へのへのもへじ」みたいな外見しか読者に想起させられない、という理由もあります。あと、服装についても考えるのが面倒なので（おい）、ほとんど描写せず、どうしても書かなきゃいけないときは、登場人物はだいたいTシャツとジーンズを着ることになる。そのうち、「もうちょっとオシャレなかっこさせろ！」と登場人物から抗議されるのではと心配です。

けれどそのぶん、ちょっとした仕草とかセリフなどから、どんなひとなのかを思い浮かべてもらえるよう、心がけてはいます。小説の終盤になって、登場人物特有の仕草とか癖とかがいきなり頻出しはじめたら変なので、冒頭あたりからさりげなくちりばめます。

わかった。登場人物に関する情報提示の肝は、「登場人物の外見や性格、言動について、『こういうひとだ』とあらかじめある程度決めておく」です。

むろん、書いていくうちに登場人物が生き生きと振る舞いだす、ということはあるので、ガッチガチに固めすぎるのは避けたほうがいいですが、根幹の部分は作者自身がちゃんと思い浮かべ、「こういうひとなんだな」とつかんでおいたほうがいい、ということです。そこがブレブレになっていると、情報提示のタイミングが揺らいでしまうのだと思います。

応募原稿を拝読していると、動作などについても、「ん？」と感じるときがあります。咄嗟にうまい例が思いつかないのですが……。

> 公園を散歩していたAとBは、木陰のベンチで一休みすることにした。並んで腰を下ろし、ポケットから出したリンゴをかじる。
> 「うまい？」
> とAは尋ねた。
> 「うん、おまえも食う？」
> Bがかじりかけのリンゴを差しだすと、
> 「いや、俺もあるからいい」
> と言って、Aも自分のポケットからリンゴを取りだした。

どんな関係なんだ、AとBは。仲のいいお友だちです。

それはともかく問題は、最初のほうにある「ポケットから出したリンゴをかじる。」です。

ここで情報提示がうまくいっていないため、「二人とも、それぞれポケットからリンゴを出して食べている」ように思える。ところが読み進めると、どうやらリンゴを食べているのはBだけだと判明するので、読者は混乱してしまうのです。

たとえば、

> 公園を散歩していたAとBは、木陰のベンチで一休みすることにした。並んで腰を下ろし、頭上から降りそそぐ木漏れ日を満喫するAをよそに、Bはポケットから出したリンゴをかじる。

といったようにすれば、状況が読者にも諒解(りょうかい)されるでしょう。

書くうちに、なんとなく見えてきました。情報提示のタイミングを適切なものにするためには、「情景や人物を作者がちゃんと思い浮かべること」が大切なのだと思います。思い浮かべて、それをどう文章に落としこむかは、試行錯誤してセンスが身についていけば（つまり慣れていけば）、よりスムーズにできるようになるはずです。でも、もともと思い浮かべもせず、「思いついた端から、適当にぶっこむ」という方針を採っていると、いくら文章がスムーズに書けるようになっても、情報提示のタイミングは悪いままになってしまいます。

落ち着いて、登場人物や情景についてちゃんと考え、思い浮かべるように心がけましょう。それは同時に、読者のことも考え、思い浮かべることにつながります。

読者は、あなたの脳内を覗けません。でも、あなたの思いや脳内で繰り広げられている情景を、十全とは言えないまでも伝える手段はあります。それが言葉です。たぶん小説は、言葉を使ったコミュニケーションです。作者は、自分の脳内に存在する登場人物や世界を把握し、それを読者によりよく伝えるための、翻訳者（あるいはイタコ）のようなものだと思います。

思いついた端からまくしたてるのではなく、登場人物や読者の心理や心情を汲んで、適切に翻訳（言語化）してみてください。

十七皿目

高揚感について
——中二の魂が叫びたがってるんだ風

みなさま、新しい年をいかがお過ごしですか？

私は昨年ようやく、「エモい」という言葉を覚えました。そのため、

「このライブＤＶＤのここが超絶エモいから見て！」

などと友だちに強要しては、

「ふふ、さっそく使いこなしてるね」

となまあたたかい笑みを返されています。

というのも、エモいって言葉が存在することに、私は自著の感想を検索していて、遅まきながら気づいたのです。何人かのかたが、「エモい」「エモかった」と書いてらして、「……はて？」と思いました。

エモいってなんだろう。キモい的なことだろうか。もしや、「エッ、まじでキモい」略して

「エモい」？　やっぱりあたしのキモさが小説ににじみでてしまっていたのか……。

　そこで友だちに、「『エモい』ってなに？」と思いきって聞いてみたのでした。すると友だちは、

「うーん……、『高まった』とか『熱い』って感じかな。『エモーショナル』から来てる言葉だと思うよ」

　と言うではないですか。

「『エッ、まじでキモい』の略じゃないの？　つまりそのぉ……、たとえば小説の感想として『エモい』って書いてあったら、それは肯定的なご意見と受け止めていいものなの？」

「……あんた、自分の小説の感想を検索してんの？」

「うん、まあ……」

　感想検索魔であることがばれてしまって恥ずかしかったですが、

「大丈夫。肯定的な感想だよ、たぶん」

　と友だちが言ってくれたので、ホッと安堵（あんど）したのでした。

　そういうわけで、エモいの意味を覚えたわたくしは、日常で嬉々（きき）として活用しているのであります。若者ぶりたいお年ごろ。

あ、私もしょっちゅうご感想を検索してるわけじゃありませんよ！　ただ、新刊が発売された直後は、「どんなふうに読んでいただけたのかな～」と気になって、つい……。てへへ。

さて、エモいを覚えたと言っても、その語義をいまだにふんわりとしかつかめていないのですが、「肯定的な感想だ（たぶん）」と友だちは言ってくれました。

しかし、エモいという言葉が指しているのが、「高まった」「熱くなった」的なことなのだとしたら、「中二感満載で、読んでてちょっと頰が赤らんだけど、まあそこが悪くもなかった」とも言い換えられるのでは？　という可能性も否定できず、「すみません、あたしの中二感がダダ漏れの小説になってしまってて！」とカッと赤面してしまうのでありました。

エモさの実態が中二感なのか、両者が完全に重なるものなのかわかりませんが、この皿では「創作物における中二感」について考えてみます。

中二感ってつまりは、「心がいつでも中学二年生＝青臭い」ってことで、否定的に語られる局面も多いですよね。「あいつ、いい年して、なにをいつまでも青臭いこと言ってんだ」というニュアンスで。

たしかに実生活においては、「いつまでも青臭い」は、「うざい」と紙一重だと思います。ぐうぅ、自分で書いてて傷つくなあ……。けれど創作物に関しては、実は中二感があることって、非常に重要なんじゃないかと思いもするのです。いや、自分の中二感まんまんぶりを弁護するわけではなく。

なにかを積極的に表現したい、せずにはいられないのだ、という熱情に突き動かされて創作活動をしているひとは、残念ながら（？）、そもそも中二感まんまんな傾向にあるのではないでしょうか。そして創作物を楽しむときって、けっこうな割合で、作品にあふれる「中二感＝エモさ、青臭さ、わけのわからん情熱」に触れて、「すげえな」と胸を打たれたり感動したりしていませんか？

つまり作り手のみならず受け取るほうも、醸しだされる中二感についつい心惹かれ、「たまらん！　イイ！」と思ってしまうときがある。いくつになっても青臭さを拭えない人類が、その青臭さを思いきり発揮し、あるいは堪能するために、創作物が存在するのではないか。そんなふうに思うこともあるぐらいです。

むろん、好みにもよりますし、作中にどのぐらい中二感を盛りこむか、塩梅がむずかしいところではあります。なにしろ中二感とは、とどめようとしてもダダ漏れてしまう青臭き奔流なわけで、塩梅を意図的に加減しにくいものですからね。

ただ個人的には、洗練されつくした創作物よりも、「青臭えー！」ってゲラゲラ笑っちゃいつつも、「なんか胸がキュンとする……！　恥ずかしくてだれにも言えないけど、わかる！　こういう泥っこい部分、自分にもある！」って感じられる創作物のほうが、好みなんですよ……。

たとえば私は、『欲望の翼』という映画が大好きなのですが（ウォン・カーウァイ監督）、これは画面は大変オシャレで、洗練されています。しかし、構成がちょっといびつで、一本の映画として瑕（きず）がないとは決して言えません。でも、エモいとしか言いようのない輝きと、映画でしか表現できない切なさ、質感、人物のにおいと色気にあふれています。そこがもう、たまらんの。

レスリー・チャンが、会ったばかりのマギー・チャンに突然、「この一分、ぼくはきみといた。その時間をぼくは忘れない」的なことを言いだすんですよ。なに青臭いことをいきなり言ってんだ、レスリー・チャンじゃなきゃ許されねえぞ！　って思うんですけど、まんまと胸キュンなんですわ、なにしろレスリー・チャンだから！（堂々巡（めぐ）り）そしてそのあとも怒濤（どとう）の展開が繰り広げられるから！

そう、創作物ってのは、現実をそのままなぞりゃいいってもんじゃないと思うのです。よく、「現実じゃありえない」「現実でこんなこと言うひとに会ったことない」とか言うひとがいますが、アホか、と。そんなに現実至上主義なら、もう一生、あらゆる創作物に触れなくてよろしい。ひたすら食ってうん○して寝ろ！　そんな暴言を吐きたくもなってくるというものです。

ときとして現実じゃありえないことを堂々とやってみせられるから、創作物は楽しいのです！「ここぞ」というところで炸裂する青臭さを堪能してこそ、創作物なのです！

そして肝心なのは、創作物もまた、この現実の一部として確実に存在しているものだ、ということです。現実至上主義のひとは、そこを履きちがえているように私には思えます。「現実にはありえない」「現実では言いそうにない」ことが創作物に描かれていたとしても、その創作物は現実に存在しているのですから、そこにはやはり、現実を生きる人々のなんらかの思いや願いがたしかにこめられているのです。それを「ありえない」と切り捨てるのは、その作品を作ったり味わったりした人々の思いや願いを切り捨てることと同じではないでしょうか。

もちろん、「現実ではありえないかもしれないけど、こういうシチュエーション、こういうひとなら、こんなことを言ったり、したりしそうだな」と感じてもらえるように、創作物のなかでの「リアルさ」をいかに醸しだすかは、作り手の技量や責任にかかってきますが。映画『欲望の翼』は、そのあたりも非常にうまいと思います。青臭いんだけど、その青臭さが見事に作品の持ち味となり、さまざまな観客の胸に迫る普遍性を宿すことに成功しているなと。

小説で言うと、文章の「色気」みたいなものは、中二感が発生源のような気がします。作品のテイストにもよりますが、あんまり現実のことばかり気にしてしまうと、ちょっと無味乾燥になりすぎるというか……。一気に飛翔する瞬間、つまり「高まり」の瞬間があったほうが、読者の心をぐっとつかめるのではないか、という気がします。

たとえば、「ここぞ」というところで放つセリフです。書いていて気持ちが高ぶったら、「現実ではこんなこと言わんな……」と躊躇(ちゅうちょ)することなく、かっこいいセリフを登場人物に言わせてしまっていいと思います。

私は小説を書きはじめた当初、照れもあって、なかなか決めゼリフ的なものを登場人物に言わせられませんでした。しかし、場合によってはズバーンとストレートに、登場人物の思いをセリフにしてあげることも大事だなと、照れは振り切ることにしました。

なぜなら、小説は文章でしか表現できないものだからです。人物の表情も、声も、質感も、目や耳にすることはできません。だから登場人物の情熱や思いを的確に読者にお伝えするためには、ときにオーバーなぐらい、キメッキメなセリフで直接的に表現することも必要なのです。「現実でこんなこと言うひとにお目にかかったことないけど、しかし作中でいまこの瞬間、この登場人物はそりゃあ、こう言うほかないよな!」と読者に思っていただけるよう、きわっきわのラインを狙って、熱き魂のセリフをぶちこむのです！

ていうか、照れや恥じらいをかなぐり捨て、登場人物の心情にのみ忠実に寄り添って書いていると、狙わなくても自然に熱き魂のセリフが出てきます。……あたしが異様に「中二度」が高いだけかもしれないですが、たぶん出てくるのではと思います。

あと、地の文。これも好みの問題になってきますが、私は地の文がどんどん高まっちゃって、ついに「謳いあげる」みたいになるところのある小説が、けっこう好きです。けっこうというか、かなり好きです。なぜならその瞬間、作者および登場人物の熱量に煽られて、自分も作品のなかに融けこむような陶酔の感覚を味わえるから。

てなわけで、書いていて高まったら、もうその情熱に抗わず、地の文で謳いあげちゃっていいんじゃないでしょうか。現実でいきなり歌いはじめるひとはそうそういないですが、そんなことは気にしなくていいのです。あなたが書いているのは小説なのですから、それが登場人物の思いを読者に伝えるのに最適だと判断したのであれば、だれはばかることなく青臭き奔流を叩きつけてください。

むろん、書き終えたらちゃんと冷静な目で読み返し、「ここはいくらなんでも青臭すぎたな……」という箇所は推敲して、微調整してくださいね。以前にも申しましたが、小説は「深夜のラブレター」と同じです。青臭さが行き過ぎると、思いが空回って相手にうまく伝わらないばかりか、「エッ、まじでキモい」と引かれてしまうおそれがありますので。

ぐうぅ、自分で書いてて傷つくなあ……。

十八皿目

描写と説明について
――納豆を何回かきまぜるかはお好みで

おいらもうわくわくが止まらねえだ！　もうすぐ三代目J SOUL BROTHERSのドームツアーがはじまるから、小説のことを考えてる場合じゃねえだ！

まあ、私が申しこんだチケットは全滅し、「同行者登録」をしてくれた友だちのおかげでコンサートに行けるのですがね。ものすごい倍率なのだろうなと推測されるが、それにしてもわたくしめのクジ運の悪さ、尋常じゃない。てんで役立たずの諸葛亮だったぜ。しょうがないから羽毛の扇で、パソコン画面の埃（ほこり）でも払うとしよう。そしてこの本、途中から「我、EXILE一族にいかにしてはまりしか」のレポートみたいになっちゃってるけど、いいんだろうか。よくない。

というわけで心を入れ替え、まだまだ真剣に小説について考えてみたいと思います。さんだいめ……。いや、魂が浮遊してなどいない！　決して！

応募作を拝読していて、「惜しい！　もうちょっと気をつけると、もっとよくなるはずなのだが」と感じる点があります。それが、「描写ではなく、説明になってしまっている文章」です。ただ、なにが「描写」で、なにが「説明」なのか、具体的な事例を挙げて解説するのがむずかしく、歯がゆい気持ちでおりました。

でも、うんうんうなっていたら、ついにぴったりの事例を思いついた！

　A子からいったいどんな話をされるのだろうと、B男は放課後を待ちかねる思いで学食のカレーライスをかきこんだ。

　ここは保健室。B男がしずしずとドアを開けると、A子はすでに窓際のベッドに腰かけ、手持ち無沙汰（ぶさた）そうにスマホをいじっていた。

「話ってなんだよ」

　とB男は言った。

問題は、一行アキのあとの「ここは保健室。」です。場面転換したときなどに特に散見されるのですが、登場人物がどこにいるのかを手っ取り早く読者に伝えようとして、「ここは保健室。」という一文をぶっこむ。しかしこれだと、単なる「説明」になってしまい、小説としての雰囲気とか味わいとかリズムとかがぶち壊しです。基本的には、丁寧な「描写」をさりげなく重ねることで、場所や心情を伝えていくほうがいいでしょう。

(前略)カレーライスをかきこんだ。

B男がしずしずと保健室のドアを開けると、A子はすでに窓際のベッドに腰かけ、手持ち無沙汰そうにスマホをいじっていた。校庭からは、サッカー部が練習しているのだろう、「ボールはまだ死んでいない……!」「って言ってる暇があったら、おまえが拾いにいけよ」などと笑いあう声が聞こえる。西日がA子の背に射し、柑橘類(かんきつるい)の妖精がまとわりついているかのようだ。

「話ってなんだよ」

とB男はわざとぶっきらぼうに言った。

……この例文も「いかがなものか」ですね。すみません。でも、安易に「ここは保健室。」と説明しなくても、もっとスムーズに「保健室にいる」ことを伝えられるのはおわかりいただけたかと思います。

また、さりげなく室内やA子がどんな様子なのかを描写することで、だいたいの時刻とか、B男がA子にどういう期待（「告白されるのかも……？」）や感情（「かわいくて魅力的だな」）を抱いているのか、読者に感じさせられます。例文がまずいせいで、「感じられねえよ！」と思われるでしょうけれど、そこは実作するときに各人でがんばってください。すみません。

さらに言えば、「ボールはまだ死んでいない……！」云々という、サッカー部員のやりとり。これを入れることによって、今後の展開を暗示し（B男の期待に反して、A子の「話」とは告白でもなんでもなかった。けれど諦めず、果敢に「ボールを拾いに」いく、つまりA子にアタックをかけはじめるB男）、伏線を効かせたり、展開と呼応させたりする余地が生じるのです（たとえば、サッカー部員が恋のキューピッド役になってくれて、「ボールは拾いにいってなんぼだぞ！」と励ます。それでハッとなり、「そうだ、あのとき保健室でも、その言葉を聞いたじゃないか」と思うB男、など）。

「ここは保健室。」という無機質な説明ですませては、小説が縮こまってしまいます。作者自身も思っていなかったような広がりは絶対に生じませんし、「のちの展開をよく考えて、常に最善の文章表現を心がける」という習慣や思考回路も身につきません。楽だからといって説明に逃げるのは、百害あって一利なしの省エネです。そうではなく、「まちがった漢字変換をしないように、登場人物の名前をあらかじめパソコンに単語登録しておく」といった局面で省エネしてください。

説明が混入すると、小説が洗練されていないように見える危険性も高まります。なぜかといえば、「小説が本来的に持っている『視点』の問題」が際立ってしまうからです。

本書の五皿目、六皿目で、人称（視点）について述べたので、詳しくはそちらを参照していただければと思いますが、一人称だろうと三人称だろうと、小説は、「だれが、だれに向かって、なぜこんなに理路整然とストーリーを語っているのか」という問題から逃れられません。極めて人工的な「語り」で成立しているものなのです。

人工的な語りを、自然なものであるかのように見せるためのテクニックのひとつが、描写だと言えます。

「ここは保健室。」と説明してしまうと、途端に、「いや、だれが『ここは保健室。』って言ってるんじゃい！　急に作者が出てきて、読者に教えてくれてるってわけか？」と興ざめでしょう。作者が作品の背後に身をひそませ、なるべく読者に存在を意識させないようにしながら、「登場人物がどこにいて、なにをし、なにを感じたりしゃべったりしているのか」をさりげなく伝えるために、描写が必要になってくるのです。

コバルト文庫では以前、小説の一行目からいきなり、

あたし、花子。十四歳。

と、説明から入る手法がよく見られました。これは大発明で、主人公がどういうひとなのか手っ取り早くわかるうえに、一人称なので読者に語りかけているように感じられて、一気に身近な存在になるという効果があります。

けれど現在では、この手法は「やや古い」と読者に思われてしまうおそれがあります。また、「なぜ主人公は、見も知らぬ読者である私に対し、こんなに理路整然と話しかけてくるのか」という疑問からは、究極的には逃れられません。「小説とは、やはり人工的な語りなのだなあ」と読者が我に返ってしまわないように、この手法を採るならば、「主人公が読者に語りかけて

いる」という体裁を徹底して貫かなければなりません。そうすると、書き手としては少々不自由に感じられる点も出てくるでしょう。そのため私は、「よほどの戦略や目論見がないかぎり、小説は説明ですませるのではなく、描写を重ねたほうがいい」と考えています。

とはいえ、すべてを描写してしまうと、しつこくなるし、話がさきに進みません。匙加減が非常にむずかしいのですが……。

たとえばあるエッセイで、私は締めの一文を、

忘却を許さず、夏の空は今年も青い。

としました。「青い」は単なる説明です。しかしこれは、原民喜の小説『夏の花』(広島の原爆の話)についてのエッセイだったので、くだくだしい描写は不要と判断しました。「青い」と書けば、その青さについて、読者はきっとさまざまに思いめぐらしてくださるはずだ、と。エッセイではなく小説に関しても同様です。場合によっては、あえて説明ですませることで余地を生じさせられると思います。

もちろん私も、「これは描写ではなく説明になってしまってますね」と指摘されたことがあ

ります。はじめて書いた小説（『格闘する者に◯』）の原稿を、当時お世話になっていたエージェントのかたが読んでくださり、そうおっしゃったのです。正確な文章は忘れましたが、こういう感じの箇所でした。

　外はいいお天気だというのに、私はこうして足の痺れと戦っている。窓が切り取った空をぼんやりと眺め、それから室内に視線を戻した。

「『いいお天気』が問題です」と指摘を受け、「そうか、小説ってのは描写が肝心なんだな」と気づくことができました。直して、実際に本として出版されたのは、こういう文章です。

　外は五月晴れというのが本当にふさわしい、「宇宙直結」のお天気だというのに、私はこうして足の痺れと戦っている。窓が切り取った、冷たいほどに青く見える空をぼんやりと眺め、それから室内に視線を戻した。

いまになってみるとあんまりいい描写とも思えませんが、修正した原稿をお見せしたところ、エージェントのかたは、「そうです！　こういうことです！」ととても喜んでくださいました。褒めてのばす派。

以降、「『面倒だな』と逃げたくなっても踏ん張って、なるべく的確に、さりげなく、いい塩梅で描写を重ねよう」と心がけています。繰り返しになりますが、最適な描写を考えることは、小説全体に目配りすることにつながります（伏線や暗示）。また、登場人物の心情や行動／動作に思いを馳せたり寄り添ったりする糸口にもなりますし、「読者はこの文章をどう受け取るだろう」と想像する客観性を培うこともできます。

どうか粘り強く、描写を重ねてください。でも、粘り強すぎると描写ばかりで話がさきに進まず、くどくなってしまうので、さりげない塩梅を探ってください……。

私自身だってできていないくせに、むずかしい要求をしてしまって申し訳ないのですが、たとえるなら、「あれ？　この納豆、あんまり糸を引かないな」というぐらいの塩梅です。って、それ、発酵を通り越して腐っとるから！　食べたらおなか壊す納豆だから！

描写の塩梅について考えるのがあまりにもむずかしすぎて、的確な比喩すら思いつけなくなってしまいました。「比喩の三浦」と呼ばれる俺としたことが……！　だれも呼んでない。

とにかく、過剰に描写して「納豆の糸引きが強すぎて三日間ぐらい口のなかがねっちりしてる」とか、説明ばっかりになってしまって「納豆の買い置きがなく、泣きながら白米のみをむさぼり食う」などの失敗を、だれしもが経験して大人（?）になるのです。めげることなく、描写の度合いや分量や頻度の微調整をしていっていただければと願っております。

十九皿目

書く際の姿勢について

——当店に寄せられたお声、その一

Ｗｅｂマガジン Ｃｏｂａｌｔで、この連載をしていたとき、小説を書く際のお悩みや質問を募りました。すると、「こういうことで困ってます」「こういうとき、どうしますか」というお声を、ありがたくもたくさんお寄せいただきました。

お悩みや質問のみならず、連載への励ましや拙著の感想を送ってくださったかたもいらして、とってもうれしく、また、恐縮もいたしました。私が毎度のように、「もう書くことないだよー」と駄々こねたもんだから、「放っておいては街が破壊されてしまう！　この怪獣をなんとか鎮めるためには……、もう質問や感想を送るほかあるまい！」と、お気をつかわせてしまったのだなと、大変面目なく、申し訳なく思っております。みなさま、本当にどうもありがとうございました！

そういうわけで、怪獣はハッと我に返って暴れるのをやめ、みなさまからお寄せいただいた

お声に真剣に目を通しました。怪獣の生態に詳しい村の古老も、

「『あやつは暴れるか、もりもり昼飯を食いながらワイドショーを見とるかのどちらかだ』と、わしのじいさんの代から言い伝えられてきたもんじゃが……。最近はおとなしく机に向かっておるようじゃな。はて……?」

といぶかしがるほど、令和初の真剣さを発揮した!

令和ってまだはじまってまもなくて、「たいした真剣さではないのでは?」と思うかたもおられるかもしれんが、「令和初、令和初」ってワイドショーであんまり言うもんだから(やっぱりワイドショー見てるんじゃないか、というツッコミはよしにしてくれ)、あたしもかましてやりたくなったんですよ。食らえ、令和初の真剣さ! がおー!

アホなことならいくらでも書ける、という特技を発揮してると、話がさきに進まないな。あ、「話をさきに進められない」というお悩みもありました。それはたぶん、アホなことをついつい書いてしまっているからではないでしょうか。気にせず、存分にアホなこと書いていいと思います。嘘です(半分は本気ですが)。そのお悩みには、「構想」や「構成」が関係してくるのではと思われますので、追い追いちゃんと考えてお答えしてみますね。

真剣に検討した結果、お悩みや質問の傾向はいくつかに分類できることがわかりました。な

ので、これから三皿ぶんかけて、お答えできるものには回答していきたいと思います。全員のお声に個別にお答えできなくて申し訳ないのですが、「似たようなことで悩んでるひとがいるんだな」と感じていただけるはずですので、回答が少しでもご参考になれば幸いです。

では、行ってみましょう。まずは、「書く際の姿勢」編です。「猫背で」とかではなく、書くときの環境や心持ちについてですな。あ、質問の文章は、いずれも私のほうで要約しちゃってます。すみません。

小説を書くための、集中できる環境づくり（具体的にはデスクのつくりかた）について教えてください。（萌子さん）

しょっぱなから難問です。これはもう、「ひとそれぞれ」としか言いようがなく、喫茶店をハシゴするかたも、自宅のダイニングテーブルで書くかたも、仕事部屋を自宅とはべつに持ってるかたもいるようです。

私は自宅の、仕事部屋にしている一室で書きます。喫茶店や出張先のホテルでやむをえず書くこともありますが、エッセイはまだしも、小説は自宅の仕事机じゃないと集中しきれません。喫茶店でもどこでもいいので、「ここで書くと気分が乗りやすい」と無理やりにでも習慣づけることが大事、ということでしょう。

では、仕事部屋及び仕事机はどんな感じかというと、もう、紙やら資料やら文房具やらでごっちゃごちゃです。整理整頓ができきんの！　ほかの部屋はまだ「人間の住居」っぽさを保てているとと思うのですが（まあ、本棚に収まらない本や漫画が床のあちこちに積まれてますが）、仕事部屋だけはダメです。整理整頓してる暇があったら書く、という攻めの姿勢なのだとご理解ください。……お察しのとおり、単に、家事のなかで掃除が一番きらいかつ苦手なだけなんですが。でも私の場合、仕事部屋がごちゃーっとしてるほうが落ち着くのも事実。

きれい好きなかたは、もちろん機能性重視で机まわりを整えたほうがいいと思いますし、これればかりは各人の性（しょう）に合った場所、環境を見いだしていくほかないです。どんなパソコンやワープロソフトを使うかも、同様です。

性に合うとは、「習慣になりやすい」ってことでもあります。まったく体質に合わないし味も好きじゃないのに、コーヒーを毎朝必ず飲むひとはいないですよね。性に合うからこそ、つづけられるし、習慣になる。なので、「居心地いいな」とご自身が感じられる環境を追求し、多少気分が乗らない日であっても、その場所で少しでも書いてみるよう心がけていれば、「パブロフの犬」みたいに「ここにいるときは書こうかな」って感じになっていくはずです。

執筆時間についても、「平日の朝九時から夕方六時まで」といったように、ちゃんと決めて取り組むのが性に合うひともいますし、私みたいに「きっちり決めると体調が悪くなるので、書く時間は気分次第」というひともいるでしょう。絶対の決まりごとはないので、無理をせずに、自分なりのペースをつかんでいけば無問題です。

あと、人間、基本的には集中できないものなんだ、と諦めてください。ちょっと（かなり）部屋が汚くても死に直結はしませんし、空き時間にエンピツで裏紙にちょちょいと思いついたエピソードやセリフを書いたっていいのです。「集中できないのは、これのせいかも」とか、あまり考えすぎず、ご自分にとって心地いいと思える場所、瞬間に、書く！　なるべく楽しみながら小説に取り組んでいただければと願っております。


自作のどこが悪いのかわからなくなるときがあり、でも周囲に小説を読んでくれるひとがあまりいなくて、だれにアドバイスをもらえばいいのか悩んでいます。（柚花開さんほか）

なるほど。しかし、こういう質問を寄せてくださったかたは同時に、「インパクトが弱い気がする」とか「構成がうまくいっていないみたいだ」とか、ちゃんとご自分の作品についての客観的な分析も書き添えてくださってるんですよ。だから、大丈夫！

だれしも、「自作のどこが悪いのかわからなくなるとき」はあります。万全にわかってたら、この世から駄作は消えてなくなるはずだ。しかし実際問題、駄作が消えてなくなってないということは……。いてて、いてて。自分の脳天にハンマー振りおろすようなことを言ってしまったぜ。

ことほどさように、自作をジャッジするのはむずかしいものですし、書いてるときは弱気になるものです。でも、みなさまは悩み迷いながらも、きちんと自作の分析ができているのですから、もっと自信を持ってください。

自分の書くものに、一番の情熱と労力を傾けられるのは、自分以外にいません。ありったけの情熱と労力を傾けたからこそ、読者にうまく伝わらなかったり、認めてもらえなかったりしたとき、がっかりし、「くそー」と思ってしまうのです。それは当然の心の動きです。あたしもしょっちゅう、「俺の書いたもんのほうがおもしろい気がするんだがな！」と内心でキーキーしています。

けれどあたりまえですが、創作物はタイムや点数で勝敗がはっきりする競技とはちがうので、感じかたや好みは千差万別。淀川長治先生は、「どんな映画にも必ずいいところがある」とおっしゃったそうですが、本当にそのとおりで、だれが書いた小説にも、必ずいいところがあるのです（悪いところというか、うまくいっていないところも、たぶん必ずあるものだと思うけど、それすらも「瑕（きず）」ではなく個性や味わいになるのだと前向きに受け止めていただきたい！←切実）。「俺の書いたもんのほうが」などと思ってしまうのは、やはり単なる嫉妬（しっと）であるなと反省する日々です。キーキーするぐらいなら、どうしたら読者により伝わるように書けるのか試行錯誤したほうがいいな、と。

なので、ご自分の作品を客観的にジャッジしつつも、情熱と労力を傾けて書いていってください。読者の胸に届きますようにと、愛をこめて。愛とは、なにかひとつのもの（この場合は自作）への思い入れであると同時に、相互理解への希望を抱くことでもあります。自作に思い入れることと、自分以外のだれかと作品を通して理解しあいたいと願うこととは、両立しますし、どちらも同じぐらい大切です。「客観性」と言うと冷たく聞こえるかもしれませんが、真の客観性とは、他者とより理解しあいたいという愛から生まれるものだと私は思います。

理解しあうためにも、作品へのアドバイスは必須だ、と思うかたもおられるでしょう。「だれかに読んでもらって、アドバイスをもらったほうがいいのかな」と迷っておられるかたは多いと、みなさまからの質問を拝読して感じました。

正直に申しましょう。アドバイスなど無用！

……この本の主旨が根底から崩れることを言ってしまった。しかし、本心です。理由を述べます。

まず第一に、自分で自分の書いたものを（万全には無理でも、ある程度）ジャッジできないひとは、小説を書くことにあまり向いていません。

では、どうしたらジャッジできるようになるのかといえば、これはやはり、小説を読んできた経験によって培われる、と言えると思います（例外的に、小説を読んでこなかったけど書けるし、自作をちゃんとジャッジできる、という天才肌のひともいると思いますが、私はそういうひとにお目にかかったことありません）。

「この小説、好きだなあ」「これが小説ってもんなのか、すごいなあ」と思えるような理想像と、読書を通して出会っているからこそ、「自分の書いたものには、なにがたりないのか」「どうしたら、斬新だったりおもしろかったりする小説を、自分なりに工夫して書けるのか」を、判断し実践していくことができるのです。

あせることはないので、「好きだな」「楽しいな」と感じる小説を、思うぞんぶん味わってください（小説にかぎらず、創作物全般で、ご自分の性に合うものでいいのです）。ときに、「どうして私はこれが好きなんだろう」「この小説の楽しさは、どこから醸しだされているものなんだろう」と、分析してみることも大切です。「分析」といっても、むずかしくとらえる必要はありません。「考えてみる」「言語化してみる」というぐらいの意味です。

創作物を味わい、考える、ということを繰り返していると、だんだんご自分の好きなものや書きたいもの、自作に欠けていることなどが見えてくると思います。

そうだ、もし創作物好きの友だちや同僚や家族がいたら、味わった作品についての感想や考えたことをおしゃべりしたり、相手のおすすめ作品を教えてもらって、それを読んでみたりするのもいいですね。だれかに話すことで、思考が新たな段階に突入することがありますし、自分以外のひとが創作物についてどう感じ、考えているのかもわかって、楽しいし参考になるからです。おすすめしてもらうことで、自分のアンテナには引っかかっていなかった傑作と出会えたりもしますしね。

ただし、自作については、友だちや同僚や家族などからの感想は求めないほうがいいです。

親しさゆえに酷評されて喧嘩になったり、気づかわれて本音を言ってもらえなかったりと、あんまりいいことないからです。

私は身近なひとに感想を求めたことはないです。友だちのほうから、ごくたまに、「あれ読んだけど、よかったよ」と言ってきてくれることがあり、そういうときはむっちゃうれしくて、天にものぼる気持ちです。まあ、おおかたの場合、友だちからの感想はなにもないわけだが、「まずい出来だったんだな」ではなく、「本が出たことに気づいてないんだな」と解釈しています。ポジティブシンキング！

アドバイス無用と考える理由の第二は、的確なアドバイスができるひとは、そうそういないからです。

うぐぐ、また自分の首を絞めるようなことを言ってしまった。本書の信頼性にもかかわる問題発言、ほんとすみません。でも、まじでアドバイスってむずかしいし、ほぼ無理！　と、この連載を重ねるうちに改めて痛感したのは事実です。

ものすごい読書量があっても、批評眼が優（すぐ）れているかどうかは、またべつの問題です。なおかつ、実作に活きるような批評ができるかどうかとなると……。そういうひとを探して、自作を読んでもらうのが、どれほど困難な道のりかおわかりいただけるでしょう。

たとえプロの小説家であっても、書いているときは一人です。編集さんが手取り足取りアドバイスしてくれるなんてことはありません。すべてを自分でジャッジしつつ、黙々と書くしかないのです。

書きあがったら、もちろん編集さんや校閲さんが読んで、「ここはちょっとわかりにくいのでは？」とか「ここの時系列が変では？」とか、アドバイスや指摘をくださることもあります。しかし、すべての編集さんが的確なアドバイスをくれるとはかぎらないんですよ、これが！なかには原稿読むのが苦手な編集さんもいて、アドバイスや指摘が一個もないこともあるのです。

じゃあなんで編集者をやってるんだ、と思うかもしれませんが、そういう編集さんは、たとえば帯の売り文句や装幀（そうてい）の方向性を考えるのがうまかったりと、原稿を読むのとはまたべつの適性が備わっておられるのです。小説に対する好みや評価軸が多様であるように、編集者としての適性にも、いろいろなものがあるってことですね。

だから、原稿が書きあがってからもやはり、（アドバイスや指摘があってもなくても）自分でジャッジすることが肝心になってきます。もちろん、素直に、虚心坦懐（きょしんたんかい）に、最初の読者である編集さんのご意見や感想に耳を傾け、指摘を活かしたほうがいいかどうかを落ち着いて検討します。

　これがデビューまえとなると、編集さんも校閲さんもいないわけですから、的確なアドバイスをくれる読み手とめぐりあうのは、ますます困難を極めるでしょう。また、もし幸運にもめぐりあえたとしても、結局のところ、作品にとって最善の道を判断するのは自分です。

　最近では、インターネット上で作品を発表し、感想をもらったり、批評しあったりできる、と聞きます。基本的にはよきことだなと思うのですが、あまり振りまわされすぎないほうがいい気もします。つらつら説明してきたとおり、作品のためになるような、的確な批評ができるひとはそうはいませんし、「書くときは一人。作品への評価を受け止め、咀嚼し、次にどう活かすか（あるいは無視して我が道を行くか）を判断するのは自分」という覚悟と姿勢を持って取り組まなければ、いたずらに惑ったり迷ったりするだけに終わってしまうと思うからです。

　また、読者からの反応（感想や批評）ほしさに、小説を粗製濫造してしまうおそれも出てきます。無尽蔵に湧きでる情熱はありません。恋と同じく、いつかは目減りし、鎮火に向かっていくものなのです。そういう貴重な情熱を、デビューまえから無駄づかいするのはよくありません。「この作品を書きたい」と本心から思っていないときに、読者からの反応がほしいという理由で無理やり書いていては、いつか疲れてしまいます。

「読者に伝わるように」と先述したことと矛盾するようですが、はっきり言って私は、書いてるときは、「だれがどんなふうに読んでくれるかな」ということは考えません。書きあがって本が出ると、気になってご感想を検索しちゃいますが。

作品のことだけを考え、ベストになるようジャッジしつつ書く。それがすなわち、「読者に伝わるように書く」ことだと思うのです。「読者にうけるかな〜、反応もらえるかな〜」なんてことに気を取られて書くのは、邪念以外のなにものでもない！　あと、読者の読みを、作者の意図どおりに操りたいという願望の発露とも言え、貴様、読者と小説を舐めちゃあかん！と思います。

そうそう、先述のとおり、私はご感想を（主に発売直後に）ネット検索する派ですが、これも実は、あまりおすすめしません。酷評を目にして、ものすごく衝撃を受けてしまうかたもおられるからです。あたしはわりとマゾっ気あるのか、「ほうほう、ひどい言われようだなあ」ぐらいですむし、なかには「本当にそのとおりだな。次からは気をつけます」と襟を正さねばならないご意見もあるので、いまのところ検索するようにしています。でも、たとえボンクラな（と思えるような）感想であっても、どうしても気にしてしまって滅入る、というかたは、精神衛生上、感想を見るのはやめたほうがいいでしょう。

自分の小説をよりよくできるのは、究極的には自分だけ。それを忘れず、自信と責任、自作への客観性と情熱を持って書いてください。

小説を書くのに人生経験は必要だと思いますか？（たぬきちさん）

おい、みんなたち！　どうしてむずかしい質問ばっかしてくるんだ！　おいらの手には余るよ！

いや、冗談です。おいらの手に余るのは本当だが、むずかしいけれど非常に重要なご質問です。たぬきちさんは、ご自身の思いや、なぜ人生経験が必要か否かで悩んでいるのかについても、丁寧に書き添えてくださいました。ありがとうございます。

基本的には、小説を書くうえで人生経験はさほど重要ではないと考えます。だってさあ、「人殺しの小説を書くためには、ひとを殺した経験がなければならぬ」って理屈は、どう考えてもおかしいだろ。殺人を犯したことがなくても、人殺しの小説は書けます。なぜなら我々には、想像力が備わっているから！

では、想像力の源泉とはなんなのかと考えてみると、他者への思いやり（共感力）と、なりきり力と、知識だと私は思います。そして、それらを統御し蓄積するための言語能力です。

私たちは、実際に会ったことのないひとや架空の人物にも思いを馳せたり、思い入れたりすることができます。「いま、目のまえにいる友だちはどんな気持ちなのだろう」と慮ったり、「もし私があのひとだったら、さぞかし楽しい毎日を送れるんだろうなあ」と憧れの人物に自分を仮託してうっとりしたりもします。書物や映画などから、過去の悲惨な出来事や現在の問題点などを知り、「ひどいことがあるものだ」と義憤に駆られたり、「自分だったらどうするだろう」と考えたりすることもあります。

一人の人間が実際に経験できる事柄は、どうしても限られてきますが、想像力によって、「自分」という壁を超え、時間や空間をも超えて、だれかの思いに寄り添ったり、だれかの人生を追体験したような気持ちになったり、だれかの経験について知ったりすることができるのです。そして、想像力を構成する大きな要素は、言語です。言葉がなければ繊細な感情は生まれず、つまりは自分のことも自分以外のだれかのことも繊細に感受できないし、この世界のどこかで起きている事柄についても、正確に伝わってこないし伝えられないと思います。

想像力とか感受性って、もっと感覚的なものというか、感性に属するものなんじゃないの？と思うかたもおられるかもしれませんが、私は言語こそが重要なのではないかと考えています。

言葉を獲得することによって、深く考えることが可能になり、思考によって感情は育ち、周囲のひととかかわった体験や書物などから得た知識によって味わった感情を、自分のなかで言語化してじっくり考える。この繰り返しを通して、想像力や感受性は鍛えられていくものなのではないでしょうか。

そんなこんなで、「実際に経験したか否かは、小説を書くにあたって、さして重要ではない。なぜなら想像力があるから」と考える次第ですが、見逃してはならないのは、「想像力を構成する大きな要素である『言語』を獲得するには、時間がかかるし経験が必要である」という点です。

外国語を習得するためには、多大な努力と時間と実践を要しますよね？（私は外国語を習得できたためしがないので、それこそ「想像」でものを言ってますが）たとえ母国語であっても、実は同じことです。赤ちゃんがぺらぺらしゃべるようになるまでには、ひとによってまちまちでしょうけれど、三年ぐらいはかかるんじゃないでしょうか。ましてや、筋道を立てて思考したり、他者の感情に思いを馳せたりできるだけの言語能力を有するまでとなったら、相当の時間がかかるはずです。「あちゃー。相手の気持ちを慮れず、トンチンカンなこと言っちゃったなあ……」といった、失敗や試行錯誤の経験を積み重ねて、言語能力、ひいては想像力を、一生をかけて磨いていくものなのだと思います。

スポーツ、音楽、数学、将棋や囲碁の世界などでは、幼少のころから才能を発揮するひとがいます。身体性や鍛錬（反復練習）、言語とは異なる論理性が深くかかわってくるジャンルだからなのではないかと推測します。

しかし、「十代前半とかで後世に残る小説を書いた」というひと、ほとんど聞いたことないですよね？　たぶん、あまりいないんだと思います。短歌や詩の世界では十代のうちからきらめく傑作を書くかたがいらっしゃいますが、短い文字数であること（世界を切り取る感性）、定型や韻律（いんりつ）（リズムや音楽性）が重要な構成要素だということと関係があるのかなと思います。

小説（特に長編）は、相当の文字数を費やさなきゃなりませんよね。小説を感性／感覚で書くものだと思っているかたがおられますが、私はちがうのではないかと考えます。言語のみで表現するものなのですから、当然ながら、言語的な論理性に基づいて作りあげるものなのです。「このモヤモヤした気持ちを言語に落としこみ、最善のタイミングで、効果的に表現するためには」といったように、すべて言語で考え、言語で実践しなければならない。そのため、十代前半とかだとちょっと荷が重いのだと思います。前述したとおり、言語を獲得し、言語によって思考と感情を深め、想像力を鍛えあげるには、ある程度の時間と経験が必要だからです。

そういうわけで、「小説を書くのに、実人生で豊富な経験は必要ないが、小説を書くために必要な言語（想像力）は、時間を費やし経験を重ねて獲得していくほかない」と考える次第であります。

たぬきちさんは、「自作の登場人物の感情表現が子どもっぽいのではないか」とお悩みのようですが、子どもっぽい大人なんてわんさかいますよ、大丈夫！　それでも気になるようだったら、想像力の出番です。周囲のお友だちなどをさりげなく観察しつつ、「大人とは……」とよく考えて、渾身でなりきって書くといいのではないでしょうか。自分以外のだれかになれる、というのも、想像力があるゆえの楽しさ、小説を書くときの楽しさですものね。

は〜、長くなってしまった。次の皿では、「文章」についてと「書き進めるコツ」について、お返事しつつ考えてみたいと思います。

お口直し・その三

いきなりさておき

靴下には穴が空く。小説に関するたとえではなく、ただの雑談なのだが、しかし切実な問題だ。私の靴下は親指のさきっちょ部分に必ず穴が空き、そういう靴下を着用している日にかぎって、靴を脱がねばならないご飯屋さんに行くことになったり、デパートで気になる靴を見つけて試し履きしたくなったりする。

　靴下は親指部分の布または縫製を頑強にすべきではないのか、と思っていたら、かかと部分のみに穴が空くというひともいて、なるほど、靴下側の問題ではなく、個々人の歩きかたや足の形によるものなのかと察した。

　さらに、世の中には「ダーニング」といって、キノコ型の台を駆使し、靴下などの穴を刺繍のようにきれいにかがる技法があることを知人から教えてもらった。知人は家じゅうの靴下をかがっても飽きたらず、なおも穴の空いた靴下を求めて夜な夜な彷徨するゾンビみたいになっているのだそうだ。

　ネットで調べてみたら、たしかに靴下をかわいらしく補修できるようで、夢中になるのもわかる。これは気分転換によさそうだし、靴下も長持ちするしで一石二鳥だ。思いきってキノコ型の台をポチりと購入し、いま届くのをわくわく待っている。読書といい、目を酷使することにばかり心惹かれるのはなぜなんだ。

二十四目

文章、書き進めるコツについて
——当店に寄せられたお声、その二

ようし、またみなさまからお寄せいただいたお悩みや質問にお答えしていくぞー！　連日の暑さで脳がとろけそうですが、ここはビシッと冷房をかけ、万全の状態で臨(のぞ)みます。はい、まんまとエアコンのリモコンが作動しません。どうやら電池切れのもよう。ちょっと電池を探してきます。

……電池の買い置きがなかったので、近所のスーパーに行ってきました。往復十分たらずの道のりなのですが、取り組み後のおすもうさんなみに汗が噴出しています。この原稿は、おすもうさんとちがって腕っ節弱いくせに全身汗みずくの生き物が書いてると思ってください。「げげっ」て感じがするでしょうけれど、シャワーを浴びる時間すら惜しんでパソコンに向かう真剣さを汲んでいただきたい（単に面倒くさがりなだけ）。

ビシッ。無事にエアコンを稼働させることもできましたし、もう大丈夫です。それでは行っ

てみましょう。まずは、「文章」について。

個性のある文章を確立するには、どうすればいいのでしょうか。はじめはだれかの真似でもいいのでしょうか。（雀さんほか）

「どうしても既存の小説家の文章に似てしまっている気がする」など、「自分らしい文章が書けていないのでは」とお悩みのかたが複数名いらっしゃいました。

これに対する私の考えは明確です。似ていたって、真似だって、いいのです。いや、だれかの文章を丸ごとパクっちゃだめですよ？　そうではなく、「書いてるうちに、なんか文体が似てるような気がしてきたなあ」「この文体、小説家の○○さんの真似っぽいんじゃないか？」と思っても、べつに気にすることはないという意味です。

理由を述べます。「似てるかも」という自己診断は、ほぼ百パーセント勘違いだからです。

もちろん、読んできた書物の文章から、リズム感や言いまわしなどの影響を受ける、ということはありえます。好きなひとや憧れのひとの影響を受け、気づかぬうちにファッションや仕草が似てきてしまったかも、というのと同じです。長年連れ添った夫婦が、醸しだす雰囲気のみならず顔つきまで似てきた、みたいなこともありますよね。

でも、じゃあそのカップルや夫婦が同一人物になったのかというと、あたりまえですがそんなことは起こりようがありません。いくら影響を受けようが、二人はまったく別個の人間です。「どんなに愛していても、相手と同一の人間にはなれない」というのは自明のことなのに、文章（文体）についてだけ、「似てるかも」「真似かも」と心配するのは、取り越し苦労というものです。べつべつの人間が、べつべつの思考、感情、身に宿したリズム感と語彙、経験と想像力などなどから書いた文章なのですから、それはほかのだれともちがう、そのひとだけが生みだせる文章（文体）にちゃんとなっています。なんも気にせんでよろしい。

私は夏目漱石の小説が好きですが、念のため想像してみました。漱石に、「先生の小説が好きなあまり、なんか文体が似てきちゃった気がするんですけど……」と、自分の原稿を見せるところを。漱石、「ふんっ、どこが吾輩の文体に似てるというのですか」って、鼻で嗤ってました（猫は「吾輩」と言うけど、漱石は「吾輩」とは言わない気がしますが）。ひぃーっ、残念！　似てなかったか！　うん、うすうす知ってた。

「好きだから」「読んでるから」というだけで文体が似るほど単純な仕組みなら、苦労はない。同時に、こんなに大勢小説家が存在するはずもない。書けば自然と、それぞれの文体や持ち味が醸しだされるものだから、小説（ひいては創作物全般）ってのは楽しいし、多様になるのです。

好きな小説から影響を受けるのは当然で、影響を受けて「真似っこになっちゃったかな」と思っても、あなたの脳が生みだしたものなのだから、それはあなただけの文章になってます。自信を持ってください。

でも、「真似かも」って気にしちゃう気持ちもわからなくはないです。なぜなら小説は、言語だけで表現するものだから。

言語は、あなたや私が生みだしたわけではないですよね。つまり、「オリジナル」ではなく、すでにあるものを使って表現しているということになる。それで不安になるのだと思います。

たとえば「漫画を描く」という行為は、より身体性が直に画面に出ます。それぞれの漫画家さんの筋力とか目のよさとかが、各人固有の「線」になって表れる。ほんの一コマ、いや、人物の体の一部を見ただけでも、「あ、これは○○さんの漫画だな」ってわかることはしばしばありますものね（ありますよね？　私が漫画オタクだからってだけじゃないですよね？）。

とはいえ、「このひとは○○先生の漫画が大好きで、影響を受けたんだろうな」と推測されることはあるし、コマ割りなどの漫画文法から完全に解き放たれたら、それはもはや漫画ではなくなってしまう。漫画も、すべてがまったくの「オリジナル」ってわけではないのです。あらゆる創作物は、先人たちが築きあげてきたもののうえに成り立っているためです。

しかしまあ、漫画に比べたら小説は、文章の個性がパッと見えにくいのは事実です。既存の言語を使っているうえに、たとえ手書きで原稿を書いたとしても、本になるときは活字に変換されるので、「このひとが書いたものです」という明確な目印がない（＝個々人の身体性を感じにくい）ですからね。私も、「べつのペンネームで小説書いたら、たぶん同一人物だとはばれないだろうな」って自信があります。自信を持っていいポイントなのかわからんけど。没個性。

見かたを変えれば、個性なんてその程度のものだ、とも言えます。そう考えると、なんだか気が楽になりますし、その程度の個性だとしても、それでも脳を振り絞って書くのです。そうすればおのずと、あなただけが書ける文章、文体になっちゃうものですから、気を揉まなくて大丈夫です。

思いどおりの文章が書けません。描写したいことがあっても、それをうまく言葉に表すことができないのです。（二戸雪さん）

小田和正の名曲の革新性は、「言葉にできない気持ちを、あえて歌詞にしてメロディーに載せるのが『歌』ってもんだろ」という既成概念を覆し、「言葉にできない」とズバンと歌っちゃったところです。手抜き……、ではないのは、『言葉にできない』をお聴きになったことがあるかたは、みなさんおわかりでしょう。

『言葉にできない』は、サビの部分はハミング（?）と「言葉にできない」のみで成り立ってますが、そこに至るまででちゃんと、「なぜ言葉にできないのか」を説明（描写）しています。

そういうことです。

小田和正氏を見習って、言葉少なにズバンとまとめてみましたが、「『そういうこと』ってどういうことじゃい」と思われたかもしれませんね。

ここにも、『言葉にできない』から学ぶべきポイントがあります。『言葉にできない』が名曲たりえているのは、「サビに至るまででちゃんと説明している」ためだけでなく、もうひとつ理由があると思われます。それは、小田氏の美声と美メロで「言葉にできない」と切々と歌いあげられるから、「そりゃもう言葉にできる人類なんていなくて当然だよ！　だけどわかる……！　気持ちがむっちゃ伝わってくる……！」と感じることができるのだ、ということです。

翻って、文章のみでしか表現できない我々は、「言葉にできない」「そういうことです」ですませちゃあかんのです。伝わらないからです。

しかし、「美声と美メロを持ちあわせぬばかりに……!」と絶望することはありません。前述のとおり、小田氏は我々に対してちゃんと回答を提示してくださっています。「言葉にできないことがあっても、それがなぜなのかを丁寧に描いていく」です。核心部分の描写はむずかしくても、その周辺や、そこに至るまでの行動や心情や風景などの描写を重ねることによって、受け手(読者)は、「ああ、こういうときって、気持ちが言葉にならないよな」と想像したり感じ取ったりしてくれるのです。

では、描写力をどうやって身につければいいかというと、以前にもちょっと申しましたとおり、「文章のデッサン力を磨く」のが手っ取り早いのではと思います。ふだんの生活で感じたこと、目や耳にした出来事や風景などを、脳内で即座に文章にする訓練をしてください。「……」と、ゴルゴ13の形態模写(?)をしとる場合じゃありません。頭のなかですべて言語化する瞬発力を養いましょう。

スポーツ選手が走りこみやスクワットをするように、画家がデッサンをするように、小説を書くひとも当然ながら、日々、「脳内で文章にする」という基礎トレーニングを習慣づけなければ、ものにはならんのです。

慣れれば、特に意識せずとも脳内でいつも言語化している状態になるのではと思いますが（それゆえ、非常に脳が疲れるので、適度に休息を取らねばならないのもスポーツ選手と同じです）、心がけても心がけても、思いどおりに脳内で文章にならない、というひともいるかもしれません。

その場合は、語彙を増やしましょう。「そんなことかいっ」と思われるかもしれませんが、身につけた単語数が多いほうが、表現の自由度が上がります。もちろん文法力もあったほうがいいです。これらを培うためには、やっぱり読書をしたり、ひとと話したりするのが一番だと思います。「このひと（あるいは、この本）はなにを言わんとしているのか」をちゃんと考え（脳内での言語化）、わからない言葉があったら辞書で調べ、というのを繰り返しているうちに、語彙と文法力がアップするし、自分の思いをスムーズに言葉にできるようになるはずです。

あとは……、国語の文章問題を解いてみるってのも、案外有効なんじゃないかと思わなくもないです。というのも、「国語の文章問題が大の苦手だった」「著しく読解力に欠けていた」って小説家に、私はあまり会ったことないんですよ。もちろん苦手だったひともいるとは思いますが、だいたいのひとは、「ほかの教科は赤点でも、国語だけは鼻くそほじりながら解いても満点に近かった」って感じ。鼻くそ派の割合が、ほかの職業よりは高いのではないかと推測されます。

「国語の試験なんざ、テクニックでなんとでもなるもんで、本当の意味での『読解』でも『文章を味わうこと』でもない！」と言うかたもいらっしゃると思うのですが、肝心なのは、まさにそのテクニックの部分、「出題者の意図を読解する」という部分です。つまり、「俺は正解はこうじゃないかと思うけど、選択肢のなかにないってことは、貴様の考えはこれだってことだろ」と、文章や自分自身について「分析」し、相手の心を「読む」。

現実の人間関係の場合、相手の表情や声音とか、これまでのつきあいから導きだされる経験則など、さまざまな情報を総合して判断しなきゃなりませんが、国語の文章問題の場合、すべて言語のみに基づいて検討・思考すればいいので、基礎的なトレーニングになるんじゃないかなという気がするのです。

べつに受験するわけじゃないし、小説家になるための資格試験なんてものもないので、気楽にかまえてください。読書でもおしゃべりでも文章問題でもなんでもいいから、ご自身が楽しく取り組める方法を探し、まずは「脳内での文章化（＝デッサン力）」が身につくよう、少しずつ心がけてみるのが大切です。

どうすれば文章に緩急がつくのでしょうか。（八十八さん）

文章がビジネス文書みたいになってしまいます……。（ひげねこさん）

といったお声もありました。

八十八さんからの質問については、「個性のある文章」と「思いどおりの文章が書けません」への回答の合わせ技になるので、ご参照ください。

「文章に緩急がない」と感じているのは八十八さんだけかもしれず、もし本当に緩急がないのだとしても、それが八十八さんから生みだされる唯一無二の文体なのですから、思いきって緩急のなさを極めてみるのもオツなものかもしれんよ、ってことです。また、「悪い意味で、まじで緩急がない」のだとしたら、それは、「なにかを自由に表現できるほどには、まだ文章を駆使しきれていない」ということなので、語彙と文法力とデッサン力を増強してみてはいかがでしょうか。

身体を持つ人間が書くものなので、文章もほんと慣れというか、トレーニング（思考と実践の繰り返し）がわりと効くんですよ。トレーニングすれば、（文章の）筋力と柔軟性がアップしていくので、そのうちリズム感も出てくるのではないかと思います。

ひげねこさんのお悩みについても同様で、「思いどおりの文章が書けません」をご参照ください。

しかしですね、「ビジネス文書みたいな小説」って、それけっこうすごいことですよ！　どんななんだ、むしろ読んでみたいよ！　書こうと思ってもなかなか書けるものじゃない気がするので、ご自身の持ち味を美点ととらえ、「ビジネス文書みたいな文章」を活かせる題材や設定を探るなど、発想を転換してみるのもいいかもしれません。「小説とは、こうであらねばならぬ」って思いこみすぎないでくださいね。

さて次は、「書き進めるコツ」について考えてみたいと思います。


小説を百枚も書けるようになるのか、不安です。（渚さん）

小説を完結させるコツはありますか？　書いていて自分の文章に絶望してしまったり、「なんて支離滅裂なんだ……」と筆が止まってしまうことがしばしばです。（みづきさん）

同様のお悩みは複数寄せられていて、「ほかのどんな質問よりも悲壮感にあふれている……」という傾向がうかがえました。たぶん、完結までの遠き道のりにめまいがしたり、道半ばで倒れ伏したりしているのでしょう。気をしっかり持つんだー！　まずは水を飲んで一息つけー！

百枚だって千枚だって書けるようになりますし、ちゃんと完結させられるようにもなります。なんにも心配しなくて大丈夫！

私も小説を書きはじめたころは、「五百枚とかって、みんなどうやって書いてるんだろう。私にはとても無理だ……」と遠い目になってましたが、いまや「書いても書いても終わらんやんけ！　私、尿切れ悪くなってないか!?」という状態です。長けりゃいいってもんじゃないので、そのときの自分の力と作品の内容に見合った枚数を、コツコツと書いて完成まで漕ぎつけるよう努める。結局はこれが早道です。

小説を書く行為は、マラソンにたとえられることがしばしばあります。私は運動全般をしないので、当然、長距離を走ったことなどないのですが、たしかに似ていそうだなと思います。特に長編の場合、持久力、粘り強さ（少しずつでも書きつづけること）が、非常に大事になってくるからです。

さきほど、描写力を身につけるためには、「文章のデッサン力を磨くこと（ふだんから脳内で言語化に努めること）」が有効だと申しました。とにかくあらゆるもの（風景や感情など）を、なるべく言葉に変換することに慣れる。これは瞬発力系の訓練です。

しかし、脳内で言語化することと、実際に小説の文章を書くこととでは、またちょっと趣が異なります。画家の場合もたぶん、デッサン力をつけるためにクロッキー帳に描いて練習するのと、いざキャンバスに本番の作品を描いていくのとでは、かかる時間も神経の払いかたもちがうのではないでしょうか。「これじゃなーい！」って、絵の具で塗りつぶして描き直したりと、試行錯誤するはずです。

小説も同じで、基本のデッサン力は絶対に必要ですが、実際に書くとなったら、今度は持久力が要求されます。

「文章のデッサン力」という瞬発力が養われていれば、「こんな感じの文章を書きたいんだけどな」というイメージや、もしかしたら具体的な一文自体が脳内に浮かぶと思います。それをパソコン上(あるいは原稿用紙)にコツコツと出力しながら、より文章を研磨していくのです。

このとき、目のまえの一文が本当に最適の表現になっているか、ということのみならず、心の視野をなるべく広く保って、前段までとの整合性や、全体の構成や、登場人物それぞれの心情などにも、気を配る必要が生じます。行きつ戻りつし、推敲し、粘り強く考えながら、数百枚を書くのですから、時間がかかって当然です。気持ちや筆が乗っているときはいいですが、行き詰まってしまったら、「なにを書きたかったんだか……、ぜつぼう……」って、そりゃなりますよね。

もう、めげずに、亀のごとき歩みでもいいから、完成を目指して少しずつ進むほかありません。

ここで朗報なんですけど、以前に長距離選手のかたに取材したところ、瞬発力系の筋肉よりは、持久力系の筋肉のほうが、後天的な努力が実を結びやすいそうです。一〇〇メートル走とかは、選手の持って生まれた筋肉の質がものを言う部分が大きいけれど、マラソンとかは、最初はド素人であっても、練習すればそれなりにタイムを縮めることができるらしい(むろん、オリンピック出場レベルになるには、努力だけでなく資質も大きく影響してくるでしょうけれど)。

なるほど、年を取っても、運動音痴でも、一〇〇メートル走をするひとよりはジョギングをするひとのほうが多いのは、努力の成果が実感できて楽しいし、自分のペースで取り組めるからなのかもしれないな、と思いました。私はジョギングするなど絶対にごめんなので、あくまでも推測ですが。

これは、文章における瞬発力と持久力についても言えると思います。もちろん文章の瞬発力も、自分に合ったトレーニング法で取り組めば、鍛えることはできます。でも、いきなり語彙が倍増、とはいかないですよね。すでに相当数の語彙を身につけて大人になってるのですから、「のびしろ」が少ない。よって、トレーニングして「文章の瞬発力」を養っても、目を見張るほどの成果、とはなりにくいかもしれません(それでも絶対にトレーニングしたほうがいい、と思いますが)。

しかし、「コツコツ書く」という「文章の持久力」は、慣れが非常にものを言いますし、一作を完成させるごとに距離(枚数)をのばしていくこともできます。たぶん、「考えること」「工夫すること」は、書くという経験を重ねれば重ねるほど深まり、バリエーションを思いつくこともできるようになるからです。身につけられる語彙などには限界があっても、「じゃあ、それをどう活かすか考えること」には、ほぼ無限の可能性があるのです。

とはいえ、身についた語彙のなかからどの言葉を選ぶか、どんなふうに組みあわせて文章の独自性やリズムを生みだしていくかには、各人の感覚や思考回路などの「持ち味」も大きくかかわってきます。これに関しては、トレーニングで性格や価値観をがらりと変えるなんてことはほとんど不可能ですし、無理してそんなことをする必要はないとも思います。多少不格好だったりいびつだったりしても、「そのひと特有の持ち味」って、小説にとってとても大切なものだからです。

持久力を養成する際に肝心なのは、「闇雲に書いちゃいかん」ってことです。どういうコースなのか知らないまま、四二・一九五キロを走るマラソン選手がいるでしょうか。おらん。皇居の周囲が何キロあるのか知らないまま、ぶっ倒れるまでひたすら何十周も走るジョガーがいるでしょうか。おらん。

そんなことをしても無駄に疲れるだけですし、うっかりすると筋肉断裂や死の危険性すらあります。コースや距離を事前にちゃんと把握し、ペース配分したり適宜給水したりしなければ、長距離を走りきることなどできません。

小説を書いていて行き詰まったり、ゴールを見失って道半ばで倒れ伏したりする原因の大半は、事前の「構想不足」と「構成の練りあげ不足」ではないでしょうか。コースを把握せず見切り発車したため、ペース配分や給水に失敗して行き倒れるのです。

ここで言う「構想」とは、「登場人物や舞台の設定。どういう雰囲気の作品にしたいか」といったことだと思ってください。「構成」は、「どのエピソードをどのあたりに持ってきて、どういうストーリー展開（起承転結）にしたいか」です。

構想優先なのか構成優先なのかは、ひとによっても、作品によってもちがいます。まあ大半のひとは、構想したのち、具体的な構成に取りかかるのではないかと思いますが、構成とほぼ同時並行で、登場人物や舞台が思い浮かんでいく、というケースもあるので、ほんとにまちまちです。

また、構想のなかでも、まず思い浮かぶのが人物像なのか舞台なのか雰囲気なのかなど、これまたケース・バイ・ケースでしょう。

長い枚数を書き慣れていないうちは、構想も構成もじっくり考え、それなりに練ってから書きはじめるのが安心です。あせりは禁物。行き当たりばったりは、行き倒れを引き起こします。

構想や構成を事前に練りすぎると、登場人物も展開もがっちがちに凝り固まって、書き割りのまえで演技する操り人形みたいになってしまうのではないか、という疑問もおありでしょう。たしかに、そういう危険性があることは否定しません。

でも、道半ばで行き倒れてるひとは、倒れた拍子に書き割りも巻きこんで破壊してますし、操り人形の糸もとっくに切れちゃって、「死……!?」ってなってる状態です。「登場人物が自然と動きだし、自由にストーリーが展開するのが理想」なんて言ってる場合ではない、危機的状況に瀕しているのです。「きれいごとはいいから、コースの地図と水持ってきてやってくれー！」ってなもんです。

まずは「完成に漕ぎつけること（=持久力系の鍛錬）」を目標に、構想と構成を練りましょう。

「登場人物が自然と動きだす」「自由にストーリーが展開する」などの言説は、嘘というか言葉の綾(あや)です。心霊現象じゃないんだから、登場人物を動かしているのも、ストーリーを展開させているのも、あなたの脳です。脳、すなわち、あなたの体であり心です。あなたの感情であり思考です。

必死こいて小説を書いていると、アドレナリンが出て脳が一瞬トリップ状態になるのか、なんだか自分の意思と関係なく、登場人物が動いたりストーリーが展開したりしてるように感じられることがあります。しかし、それは錯覚です。その瞬間も、己れの脳が考え、感じながら、やっぱり必死こいて書いているにすぎないのです。ただ、一瞬トリップ状態になるぐらい、のめりこんで書くには、少々コツがあると思います。いわゆる「筆が乗っている」状態に自分を持っていく、です。行き詰まって、一文ごとにうんうんうなりながら書いていたら、なかなかアドレナリンが出るまでには至りません。「あと二キロさきに給水ポイントがある」とわかっていれば、踏ん張りがききます。「ここからは上り坂がつづく」とわかっていれば、息切れせぬよう慎重に行こう、とペース配分できます。マラソンのコースを事前に把握しておけば、円滑（えんかつ）かつ安全に、走ることに集中できるのです。

それと同様に、筆を乗らせるために、構想と構成を練ることはむしろ有効だと思うのです。

次の皿では、じゃあどうやって構想や構成を練ればいいのか、質問にお答えしつつ、もうちょっと具体的に考えてみたいなと思っています。

二十一皿目

構想と構成、登場人物について

——当店に寄せられたお声、その三

この二カ月ほどのあいだ、私はさまざまな苦難に見舞われました。苦難の内実は、不注意で左足の親指の爪(つめ)が丸ごとバーンと剝(は)げ飛ぶ↓かばって歩いていたら腰痛になる↓出張出張また出張↓原稿ピンチ↓三代目コン↓原稿ピンチ↓三代目コン↓原稿ピンチって感じです。

「どういう不注意で足の親指の爪が剝がれるんだ?」とか、「苦難に陥った原因、主に三代目コンでは? つまり自業自得では?」とか、いろいろなご感想、ご意見があるかと思いますが、なにも聞こえないふりをしてさくさくさきに進めます。「構想と構成の練りかた」という、重要事項について考えなきゃならんからな!

エッセイでも小説でも、理想を言えば、「マクラ」の部分と本編にさりげないつながりがあるのがよしとされるのでしょう。この皿で言うと、「親指の爪が剝げる」とか「三代目コン、

最高だったなー」とかが今後の展開に効いてくると、「構成がうまい」「伏線の張りかたがすごい」ってことになる。

　でも事前に予告しますが、このあと親指の爪も三代目も登場しません。それも当然だろう。手の親指の爪だったら、まだしも執筆の際に影響があるが、剝げたのは足の親指の爪だ！　あと、三代目と知りあいじゃない！　よって、今後の展開に絡んでくるはずがないのだ。「マクラが浮いてる」とか「伏線が機能してない」とか「構成の失敗」とか言われるかもしれんが、なんとなく近況報告として書いただけなんだ！

　率直に言って、私はなんでもかんでも伏線を重視する昨今の風潮には賛同しかねます。人生に伏線などない！　それに、創作物の伏線って、だれか（作者）が意図して張っているものであって、そりゃ「すごい」「うまい」とは思うけど、それ以上の「なにか」は、むしろ伏線ではない部分から感じることのほうが私は多いのだが。

　いや、もちろん推理小説で伏線がなにひとつなかったら、「おい！」って思います。「いくらなんでも唐突だしフェアじゃないだろ！」と。しかし、私が推理小説を読んでいてもっとも胸打たれるのは、なんということのない情景描写だったり、探偵と助手の人柄がうかがえる会話だったり、犯行に至る犯人の心情だったりするのです。それらがあってこそ、トリックの斬新さや犯人当てのスリルが際立つわけで、べつに伏線に感動してるわけじゃない気がするんだよなあ、と個人的には思います。

これは好みの問題なのかもしれません。たとえば映画『マグノリア』を見ても、私はほとんどピンと来なかった派なので……。「構成すごいな」「なるほど、伏線」とは思うけれど、頭の片隅で「だからなんだってんだよ！」とちょっと憤慨してしまった……。構成や伏線なんて、脚本でいくらでも「作れる」というか（実際うまく作ろうとしたらすごくむずかしいですが）、「そんなの書き手の胸三寸でなんとでもなるんじゃない？」「登場人物が伏線に奉仕させられてるみたい」と感じられてしまって、諸手を挙げて「好きな映画」とはあまり思えなかったのです。公開時に一度見たきりなので、いま見返したらまたちがう感想があるかもしれないですが。あ、トム・クルーズの演技はいいなと思った覚えがあります（なにさま）。

もちろん好きなタイプの伏線もあって、最近だと映画『H・iGH&LOW THE WORST』です（以下、ややネタバレですので未見のかたはお気をつけください。あと、まじでサイコーな映画なので、未見の人類全員におすすめします）。

轟くんが絶望団地の喧嘩で石を投げた瞬間、私は（心のなかで）スタンディング・オベーションしました。なんという見事な伏線回収！　まさか、あのシーンとこのシーンがつながるとは！　とテンションが天元突破の勢いでぶち上がりました。

しかしこの伏線は、もともと脚本にあったものなのかどうか、映画を見ただけでは断定できない（『ハイロー』シリーズのシナリオ集と設定集と制作ドキュメンタリーＤＶＤの発売をいつまでも……、待ってます琥珀さん！）。轟くんのキャラクターも勘案して、喧嘩シーンの撮影中に現場の判断でつけ加えたものかもしれないな、という気がして、そこも好ましいのです。つまり、脚本上でガチガチに「作った」のではなく、登場人物のパッションの高まりによって自然と出てきた行いなのだ、と見えるように撮っているし、役者さんもそういうふうに演じている。それが同時に、見事な伏線回収にもなっている。むちゃくちゃ品がいいし（やってることはボコボコの殴りあいですが）、「作品に奉仕する登場人物」ではなく、「登場人物が生きる世界として作品がある」という姿勢なんだなと感じられて、こういうのが私にとっては「好みの伏線」なんだよな、と思ったのでした。

なにを申したかったかというと、「伏線のありようについては個々人の好みもあるし、あまり気にしなくていいんじゃないかな」ということです。ただし、「下手くそであるがゆえに伏線が張れない」というのはダメです。「張ろうと思えば張れるけど、キメッキメに伏線を張りすぎるのは自分の好みではないので、あえてゆるめにしておく」といったように塩梅できてこそ、書きたい小説を自在に書ける境地に至れます。

え、私……？　できません、そんなむずかしいこと。「なら他人に求めるな」っちゅう話ですが、その境地に至れるといいなと思って、日々考えてることはあるので、この皿ではみなさまからお寄せいただいた質問をもとに、「構想と構成の練りかた」について書いてみます。


伏線の張りかた、塩梅について教えてください。（あめ。さん）

伏線の塩梅については、前述のとおり好みがあるので一概には言えませんが、伏線の張りかたは、「構成をどう立てるか」と非常に深く関係してくるのではないかと思います。あと、書き手の「客観性」も伏線と関係あります。書いたあとにちゃんと読み返して、「あ、ここにさりげなく伏線張ると、効いてくるな」とか、「ここで伏線張ろうと思ってたのに、忘れてしまってたな」とか、気づいて判断するのはすごく大事です。

伏線についてなにも企まずに書いた小説を、「そうだ、大規模に伏線を張って、ラストで大どんでん返しをしよう」と、たとえば第一稿を書き終えた段階でプラン変更するとなると、相当の魔改造が必要になってきます。たぶん、その小説は改造手術に失敗して死亡するでしょう……。大どんでん返し系を志す場合は、あらかじめきちんと構成を立てたほうがいいと思います。

ただ、小さな伏線については、あとから原稿を修正したり、書いているうちに思いついてちょこちょこ手直ししたりで、わりとなんとかなります。「伏線がすごくうまく効いてるな」という作品の大半は、もちろん「伏線を効かせるタイプの作品にしよう」って構想は当初からあるはずですが、たぶん書きながら、あるいは書き終えてから、細かい部分の伏線の調整を繰り返して、ベストの効き具合に着地させているのではないかと推測します。

なぜかというと、書き手の生理として、なにもかもガチガチに決めてから書いても、なんも楽しくないからです。楽しくないものは、書き進められない。「こんな感じかな～」とアイディアを練っておいて、あとは書きながらうきうきと肉づけし、修正していく、というのが通常なのではないかなと思うのです。

具体例を挙げたいところですが、私はキメッキメの伏線を張りめぐらした小説って、ほぼ書いたことがないのです……。かといって、ほかのかたが書いた作品について、私ごときがしたり顔で解説することなどできない。

しょうがないから、自作のなかで『あの家に暮らす四人の女』と『むかしのはなし』と『風が強く吹いている』を例に、どういうふうに作っていったのかを説明します。また自作についてネタバレせねばならんのか……（涙）。まあいいや。何度でも申しますが、小説で肝心なのはネタがバレてるかどうかではなく、文章とか語り口です！（必死感）「もうネタはわかったから、読まなくていいや」とか、そういうことはないと思うんですよね！（壮絶なる必死感）

『あの家に暮らす四人の女』は長編です。この話は、「谷崎潤一郎先生の傑作『細雪』を現代風にアレンジしたら、どうなるだろう」という思いつきが取っかかりでした。我ながら大胆かつ無謀な取っかかりだ。

そこから構想していったわけですが、私はかねてより、谷潤先生の小説の醍醐味は「語り口」にあると感じており、『細雪』の場合、「語り手はだれなんだ問題」がすごくおもしろいと思っていました。『細雪』は完全なる三人称（神の視点）で地の文が書かれているようでいて、実はちょっとブレる瞬間がちょくちょくある。そのブレが、「ん？　もしかしてこの話、次女の幸子の夫・貞之助が観察して語ってるんじゃないかな？」と思わせるものになっていて、非常に刺激的かつスリリングなのです。

そこで、『あの家に暮らす四人の女』でも、「語り手はだれなんだ問題」を中心に据えることにしました。『あの家〜』も、完全なる三人称（神の視点）のようでいて、実は語り手（観察者）がいた、というつくりにしよう。具体的には（以下、ネタバレです）、主人公の亡き父親が霊魂となって、四人の女たちの暮らしを観察し、語っていた、というつくりにしよう、と考えました。これは、どういう人称を採っても人工的にならざるをえない、「小説の語り」問題を最低限クリアする手段としても、けっこういいアイディアではなかろうか。

　ここまで構想するのに、取っかかりを思いついてからたぶん三秒ぐらいです。当然、頭のなかでモヤ〜と考えただけで、メモも取っていません。

　次に、『細雪』になぞらえて登場人物を配置し、それぞれの設定をざっくり考えていきました。名前、年齢、職業、境遇などです。私は、登場人物の誕生日や血液型、容姿などはめったに考えないですが、作者によっては、そのあたりも細かく考えておくかたもいらっしゃるようです。

　登場人物については、私は手書きでメモしています。手を動かしていると、「ああ、この登場人物は、こういうひとなんだな。じゃあ、こんなエピソードがあるといいかも」と、なぜかいろいろ思いつくことが多いからです。

　四人の女がどういう感じのひとか、どんな家に暮らし、どんな生活を送っているのか、家の間取りなども描いて、おおまかな設定はできました。これで、この小説の構想は終わりです。

綿密な構成は立てませんでした。というのも、本家の『細雪』って、わりとダラダラしてるというか（と言うと言葉が悪いですが）、一見、なにもドラマが起きていないように思える。しかし淡々とした流れのようでいて、実は語りの妙によってうねりが生じている、というタイプの小説だと思ったからです。なので、構成をきっちり立てすぎずに書いてみよう、とまたも無謀なことを試みることにしたのでした。

私が『細雪』で印象的だったのは、水害のシーンと妙子の恋愛沙汰と長大な小説が雪子の下痢エピソードで終わること（斬新すぎるよ、谷潤先生！）だったので、それらの点については、『あの家〜』でも踏まえよう。構成（エピソードの配置）で気をつけたのは、そのぐらいです。あとは構想（着想、設定、企みといったようなもの）どおり、「この話を語っているのは、実は主人公の父親だった」ということを、どの段階でどういうふうに明かせば一番効果的か、に神経を注げばいいだろう、と。

で、実際に書きはじめたのですが、連載第一回の情景描写でカラスを書いたとき、「むむ？」と思った。「このカラス、ただものではないな」と。構想にも、ざっくりした構成にも存在しなかったカラスなのですが、「なんでか知らんが、こいつ、しゃべりたがっている……」という感覚がありました（頭の調子がおかしいのでは、と案じられるかと思いますけど、いつもこんな感じなので、たぶん大丈夫です！　いつもなのか……。それって大丈夫ではない……、げふげふ）。

そこで急遽、頭のなかで構想を再検討。いきなり「主人公の父親が語り手」と明かすのではなく、「三人称神の視点（のように見える）から、一人称カラスの視点へと、語り手のバトンタッチを一度しておいたうえで、最終的に『主人公の父親が語り手でした』と明かす」ほうが、「小説の語り手問題」を追究してるんですよ、と読者に目配せするという意味で、より効果的だろうと判断しました。

そういうわけで、『あの家に暮らす四人の女』は、「三人称（神の視点）↓カラスの一人称↓三人称（神の視点）↓神の視点と思われた語り手は、実は主人公の父親だった」というつくりになったのです。

だいたいは当初の構想どおりなのですが、「カラスが語りだす」というのは、実際に書きはじめてから思いついた仕掛けです。ただ、思いついたのは連載第一回という、かなり冒頭のほうを書いているときだし、その後も書きながら、「本当にカラスに語らせていいのか？　そうではない場合もうまく話が進むよう、保険はかけておこう」と、「カラスが語るバージョン／

語らないバージョン」のどちらでも行けるよう、頭のなかで調整はしていました。結局、カラスからの「俺にしゃべらせろ！」という圧がすごくて、「カラスが語るバージョン」のルートを採った、という感じです。

『あの家〜』の目論見が小説として成功しているかどうかは、読者それぞれのご意見に委ねますが、つまり「三秒ぐらいの構想をもとに、長編は書ける」ということです。また、「ガチガチに構成を立てなくても、途中で思いついたことを小説に組み入れることは可能だし、むしろそのほうが書いてて楽しい場合も多い」ってことです。カラスからの圧に負け、ついに語り手の座を明け渡したとき、「これ、どんな展開だよ！　アホか自分！　むっちゃ楽しいな、おい！」って書きながら思いました。

とにかく、あんまり堅苦しく考えすぎず、書いていて「楽しいな」と感じられる方向に進めばいいのではないかと思います。

ここまでは、構想重視で、構成はわりとざっくりなパターンでした。しかし、ざっくりだと書けないタイプの小説もあります。

『むかしのはなし』を例に説明します。これは短編と中編から成る連作で、各話が連関していることが読んでいくうちに判明する、というつくりになっています。

『むかしのはなし』を書くきっかけは、編集さんから、「昔話を題材に小説を書いてください」と依頼されたことでした。「じゃあ、『どういう出来事が、物語として後世に語り伝えられるのか＝昔話が発生する瞬間』について考えてみよう」と構想（発想）しました。

同時に、我々がよく知っているいくつかの昔話を下敷きに、まったく新しいストーリーを考え、なおかつそれらがゆるやかにつながりあって、各話はもちろんのこと、全体を通して読むと一冊まるごとが「昔話が発生する瞬間」になっている、というつくりにしようと思いつきました。

では、どんな事態が生じたら、それが「物語として後世に語り伝えられる」のだろうと考え（以下、ネタバレです）、「もうすぐ地球に隕石が衝突し、助かるひとはごくわずか」という設定にすることにしました。

わたくし、大江健三郎の『治療塔』シリーズや安部公房の『方舟さくら丸』が好きでして、地球滅亡って聞くとときめいちゃう性質なのです。さまざまな創作物で扱われてきた設定ではありますが、「まあ、『むかしのはなし』で肝心なのは、地球滅亡ではなく『昔話の発生』の部分だから、SFに疎い私でもなんとかいけるだろう」と大胆かつ無謀な判断をいたしました。

「昔話の発生」について考えてみよう、と思いついてから、ここまで構想するのに、たぶん三分ぐらいだったと思います。でも、『むかしのはなし』の場合は、構成もきちんと立てておかないとうまくいかないな、という気がしました。

そこで、「下敷きにする昔話の選定」「その昔話を、どんな話に書き換えるか」「各話をどう連関させて、『地球に隕石衝突』へと話を持っていくか」といった構成を考えました。連載ではなく書き下ろしだったので、わりとじっくり、何日かかけて構成を立てた記憶があります。

文章で説明するのが非常に面倒くさいので、当時の構成を写真でご覧いただければと存じます（次ページ参照）。「ボロボロじゃねえか！」「その犬の絵はなんなんだ！」と思われると思いますが、お気になさらず……。

「構成を立てた」と言っても、ノート一ページに収まる程度です。しかも、収録されている『花』という短編は、当初の構成にはなく、「枚数たりないかもな」と思って、あとからつけ加えました。「ガチガチに決めておかず、微調整でなんとかする戦法」が、ここでも炸裂したわけです。いいかげん……。

各話のつながりを示したのが、写真の右の中段あたり、楕円（だえん）みたいになっている部分です。これを「地図」にして、書き進めていきました。思いついたセリフやエピソード、設定も、こ

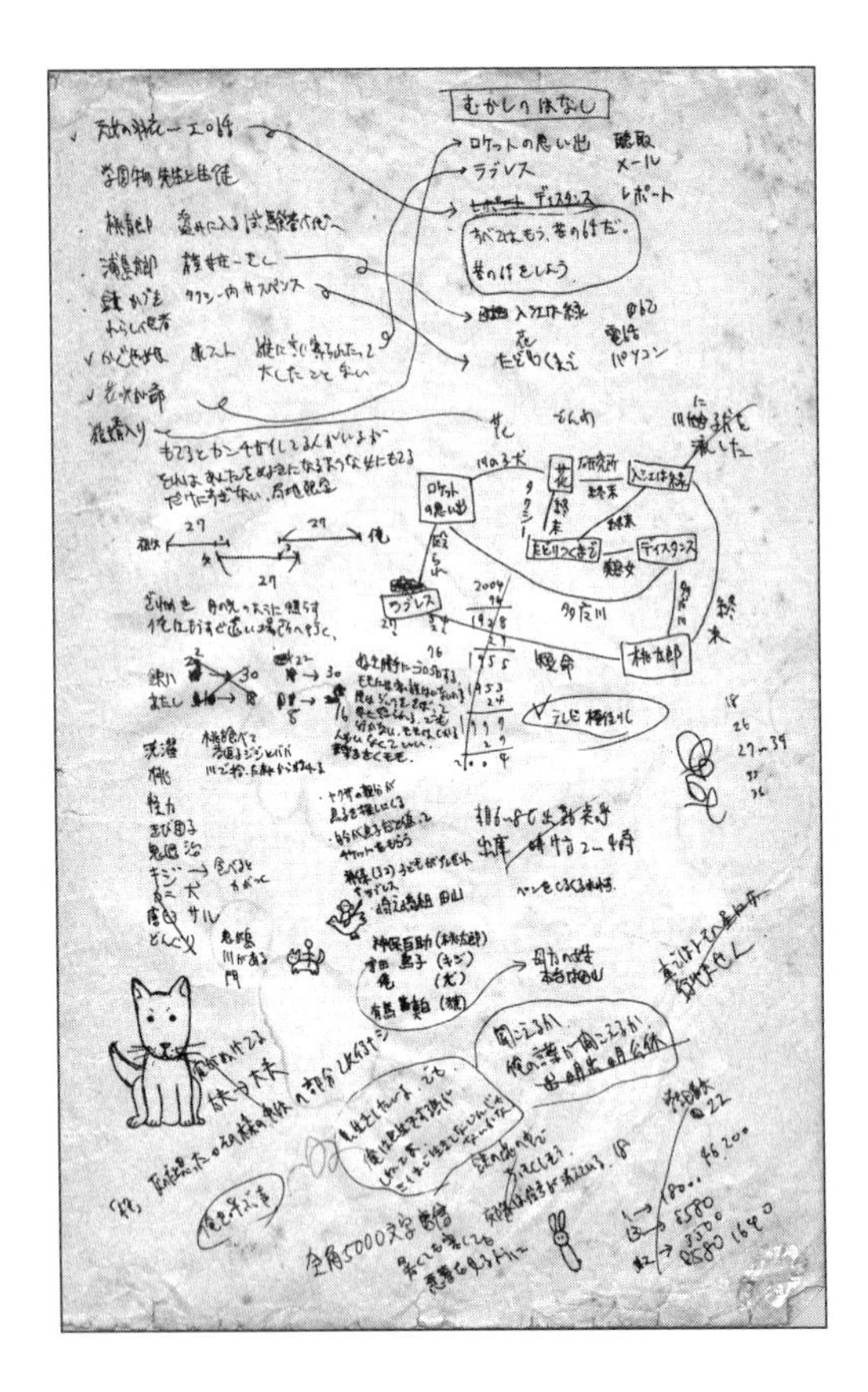

のページにそのつどメモしておきました。

　構成をどの程度固めておくかは、書こうとしている小説や書き手の持ち味によって異なってくるので、「絶対にこうするべし」というセオリーはありません。『むかしのはなし』の場合は、「ちょっとした一言」「ちょっとしたシーンや設定」が、べつの話とつながっていた、というつくりになっているので、「どこがどうつながっているのか」という屋台骨の部分だけはがっちりと構成を立てておき、各話それぞれの細かい部分は、実際に書いているときのテンションに委ねております。

ノート一ページぶんの構成でも、こまごまとした伏線はわりと張れるし、「昔話が発生する瞬間を書く」という構想が自分のなかでブレなかったので、各話をどういうストーリーにするか、けっこうさくさく思いつけたなという感じです。

けれど、ノート一ページの構成では到底たりないケースもあります。たとえば、『風が強く吹いている』です。

これは、「みんなでがんばって箱根駅伝出場を目指すぞ！」という小説で、構想もこの一言に尽きます。もう、「構想ゼロ秒」って感じの、きわめて単純なストーリーラインです。しかし、ストーリー展開が明快だからこそ、構成はここには載せきれないほどきっちりと、あらかじめ細部まで決めてから書きました。

『風強』（と略す）は、構想と構成がほぼ同時に頭に浮かび、それをもとに取材を進めつつ、少しずつ書いていきました（これまた連載ではなく書き下ろしだったので、時間は充分に取れました)。

まず、「弱小チームががんばって、箱根駅伝出場という目標を成し遂げる」という構想が浮かんだ。『がんばれ!ベアーズ』や『シン・ゴジラ』も、要約すれば同じタイプの話で、まあ物語の常道ですよね。お話を思いついたとき、「ありがちかな」って悩みすぎなくてもいいということだと思います。「ありがち」な話が、なぜ「ありがち」なのかといえば、多くのひとの胸を打つ「なにか」がそこにあるからです。

「金持ちがさしたる努力もせず、より金持ちになりました」って話を、だれが読みたいでしょうか。いや、それはそれでおもしろい気もするけど、やっぱり、「弱小チームが、いろいろあったけどついに力を合わせて、夢をかなえました」ってほうが、大半のひとは思い入れられるはずです。だから、「ありがち」な話はいつの時代も生みだされつづけ、その結果、「ありがちな話」と言われるようになったのだと思います。

大事なのはやはり細部で、チームのメンバーはどんなひとたちなのか、「がんばる」ところにどれだけ真実味を持たせられるか、語り口や文章がどういう味わいなのか、などではないでしょうか。『がんばれ!ベアーズ』と『シン・ゴジラ』は傑作かつ同じ構造(「弱小チームががんばって目標を達成できるのか否か」)を持っていると私は思いますが、しかしこの二本の映画を見て、「作風が似てるなあ」という感想を抱くひとはたぶん皆無でしょう。私も「似てる」とは思いません。語り口や見せかたがまったく異なるからです。作品の個性や美点は細部にこそ宿るのです。

『風強』の場合、主人公チームのひととなり、どんなバックグラウンドがあって、お互いの関係性はどんな感じなのかも、細かく設定しました。

魅力的なキャラクターをつくるには、どうしたらいいでしょうか。（サノさんほか）

といった質問が多数寄せられており、これも明確な回答はない、とてもむずかしい問題なのですが、コツはたぶん、「対照性を持たせる」です。メインキャラクターの一方が「明るい性格」なら、もう一方は「暗めの性格」にする、といったことです。

『風強』で言うと、主人公の一人である灰二（はいじ）は、「だれかに強制されて走っても、絶対に強くなんてなれない」という信念の持ち主です。言語能力が高く、言葉巧みにチームのメンバーを丸めこむ策略家の一面もあります。

対して、もう一人の主人公である走は、「だれかに強制されて走るのはこりごりだけど、じゃあどうすればいいのかわからない」と迷いのなかにある子です。走ってばかりいたので、いろいろ感じてはいるんだけど、うまく言葉に表せない。そのため灰二に丸めこまれがちで、「いや、あんた無茶だろ！」と遅れて気づく始末。灰二と走に対照性があり、たまに走が灰二に反発してくれるので、そこにドラマ（葛藤や盛りあがり）が発生しやすい仕組みになっています。

さらに、走のライバル榊がいます。この子は、「自主性に委ねるなんて、甘っちょろい。勝利のためなら、血反吐を吐いてでも厳しいトレーニングを重ねるべきだ」という信念の持ち主で、迷いのなかにある走に揺さぶりをかけてきます。灰二と榊という、真逆の信念の持ち主が、走をオルグしようと綱引きしている構図で、ここにも対照性があるので、ドラマが発生するというわけです。

こういう感じで、何重にも響きあうように対照性（あるいは親和性）を持たせて、各登場人物を設定、配置していくことで、それぞれの人物が際立つし、「なるほど、走は灰二に対しては、こういう態度を取りがちで、この段階ではこんなふうに思ってるんだな」といったように、書いているときに性格をつかみやすくなるのではないかと思います。

あと、思いきって作者自身とはまったくかけ離れた思考、感性、性格の人物も登場させてみる、というのもいいかもしれません。自分の分身的な登場人物ばかりだと、どうしてもバリエーションが少なくなってしまいますから。

あまり手の内を明かしたくないのですが、『風強』で言うとキング、『舟を編む』で言うと西岡は、個人的に共感はできますけれど、私自身のなかにはあまりない感性の持ち主だな、と思いながら書きました。でも、だからこそ、まったくの別人になりきる楽しさがあって、書いているうちに深く思い入れてしまったのも事実です。「自分に似たひと」だけでなく、「自分とはまったく異なるひと」を書いてみると、その登場人物が思いがけず生き生きとしはじめる、ということはありえます。ぜひ試してみてください。

さて、各登場人物の設定や関係性を決めたら（これは「構想」の範疇でしょう）、次は具体的な構成です。

箱根駅伝は往復十区間から成るので、小説も十章立てにしようと考えました。十章プラス、プロローグとエピローグです。なにしろストーリーラインが明快な話なので、どの章にどんなエピソードを持ってくるかも、さくさく決められました。実際には各章ごとに、ものすごく詳細なあらすじを書きましたが、かいつまむとこんな感じです。

プロローグ　出会い
一章　登場人物の紹介
二章　箱根駅伝を目標に掲げるまでのすったもんだ
三章　ひーひー言いながら、みんなでトレーニング
四章　記録会に挑戦
五章　夏合宿
六章　小休止（予選会という山場を控えて、これまでの総括と、今後の展開への引き）
七章　予選会に挑戦
八章　一波乱（本選出場という大一番を控えて、軋轢（あつれき）と再度の団結）
九章　本選（往路）
十章　本選（復路）
エピローグ　余韻（登場人物たちのその後）

これまた壮絶なネタバレなのでは……。まあいい！　小説っちゅうもんは実際に読んでみなきゃ、おもしろいかおもしろくないかなんてわからんもんだ！（悲壮なる必死感）

章立ては順調に決まったのですが、この構成に基づいて取材したり調べたりするのが大変でした。「実際の練習メニュー」「どんな合宿をしているか」「予選会や本選へのエントリー方法」「どういうレース展開にしたら、意図したとおりのストーリー運びになるか」などなどなど。特にレース展開については、作中で試合に出場する全チーム、全メンバーのタイム表を作り、それをもとにダイヤグラムみたいな図も作成して、「A地点で○秒差だったのを、B地点でひっくり返す」といったように、すべて細かく設定しました。

もう一度同じことをしろと言われても、「ノーサンキュー」と断る。それぐらい苦難の道で、「本当に書き終えられるのかな」と泣きそうでしたが、まあなんとかなるものです。あと、架空のレースを微に入り細を穿って構築するのは、「俺、もしや神になったのか？」って感じで、ちょっと楽しくもありました。実際には走るのが大の苦手でも、小説を書いてるときだけは、選手にも監督にも観客にもなれる……！　胸躍る体験でした。

章立てもレース展開も決めてしまえば、心強い「地図」を手にしたも同然ですから、あとはひたすら書いていくのみです。ストーリー展開が単純明快で、道のり自体には迷いやブレが生じようがない状態まで準備したので（構成と取材）、書くうちに各登場人物のセリフなどもスムーズに思い浮かびました。

心がけたことといえば、かれらは青春のただなかにあるので、「なるべく文章をきらきらさせる」ぐらいです。以前にも申しましたとおり、私は放っておいても中二感まんまんなので、臆面（おくめん）もなくきらめきを炸裂させて謳いあげるのはわりと得意分野なのでありました（いまはもう無理ですが、『風強』を書いたときは二十代で、ピッチピチでしたしね……）。

またも長くなってしまい、すみません。

まとめますと、構想も構成も、あらかじめどのぐらい固めておくかは、作品や作者の持ち味によりけりですが、まったく構想も構成もないまま、漠然（ばくぜん）と書きだすのは絶対にやめたほうがいい、というのが私の実感です。特に小説を書きはじめたばかりのころは、ある程度明確な目論見（構想）か、ストーリーの地図になるような構成か、どちらかは（あるいは両方とも）あったほうが、安心して書き進められると思います。

どのように発想し、どう構成を立てるかは、この皿で記したとおりですが、あくまでも「私の場合は」なので、参考になりそうなところがもしあったら活用していただきつつ、ご自分のやりやすい方法を探ってみてください。

改めまして、質問を寄せてくださったみなさま、本当にどうもありがとうございました。少しでもご参考になれば幸いです。

みなさまからの質問を拝読して感じたのは、「小説を書くことに、ちょっとお疲れ気味のかたが多いのかな」ということです。

そのお気持ち、すごくわかります。私もいつも、

「小説を書いていて楽しいのはどんなときですか」

と聞かれても、

「ないです」

って答えてます。「アドレナリンがいい感じに出るのか、登場人物が憑依（ひょうい）したみたいに恍惚（こうこつ）状態になるときはありますが、五作に一瞬ぐらいの頻度です」と。

でも、みなさまからの質問について考え、「自分はどういうふうに書いていたっけな」と思い返しているうちに、気づくことができました。書いているときは苦しいことばっかりだと思っていましたが、そして事実、そのとおりなのですが、それでも私、「こうしたらどうだろう」

とあれこれ考えながら小説を書くのが好きだし、けっこう楽しんでもいるな、と（カラスがしゃべりだしたり、自分とはかけ離れた登場人物に思い入れたり、レース展開を思いのままに捏造したりしているとき、たしかに楽しかった）。

小説を書くことにお疲れになったら、ちょっと休めばいいと思います。無理をしたり、「こう書かなきゃならない」と自身に制約を課したりは、決してなさらないでください。

休んだらきっとまた、「書きたいな」という思いが湧いてくるでしょう。そのときに楽しみつつ、けれど渾身で登場人物や設定や構成などについて考えながら、心の赴くままに書けばいいのだと思います。

「対象について飽くなき執念で考えつづけられる」というのが、「好き」の実相ではないでしょうか。恋に落ちたとき、輝くアイドルに惚れこんだとき、夕飯に好物が出ると判明したとき、みなさんはもう、そのことしか考えられない状態に陥るはずです（ちなみに私はいま、『ＨｉＧＨ＆ＬＯＷ　ＴＨＥ　ＷＯＲＳＴ』のことしか考えられない状態です。最低でもあと五回は映画館でキメねえとな！）。「好き」とはたぶん、そういうことなのです。

お互い無理をせず、気持ちが乗ったときに、楽しみながらあれこれ考えて小説を書いていくようにいたしましょうね！

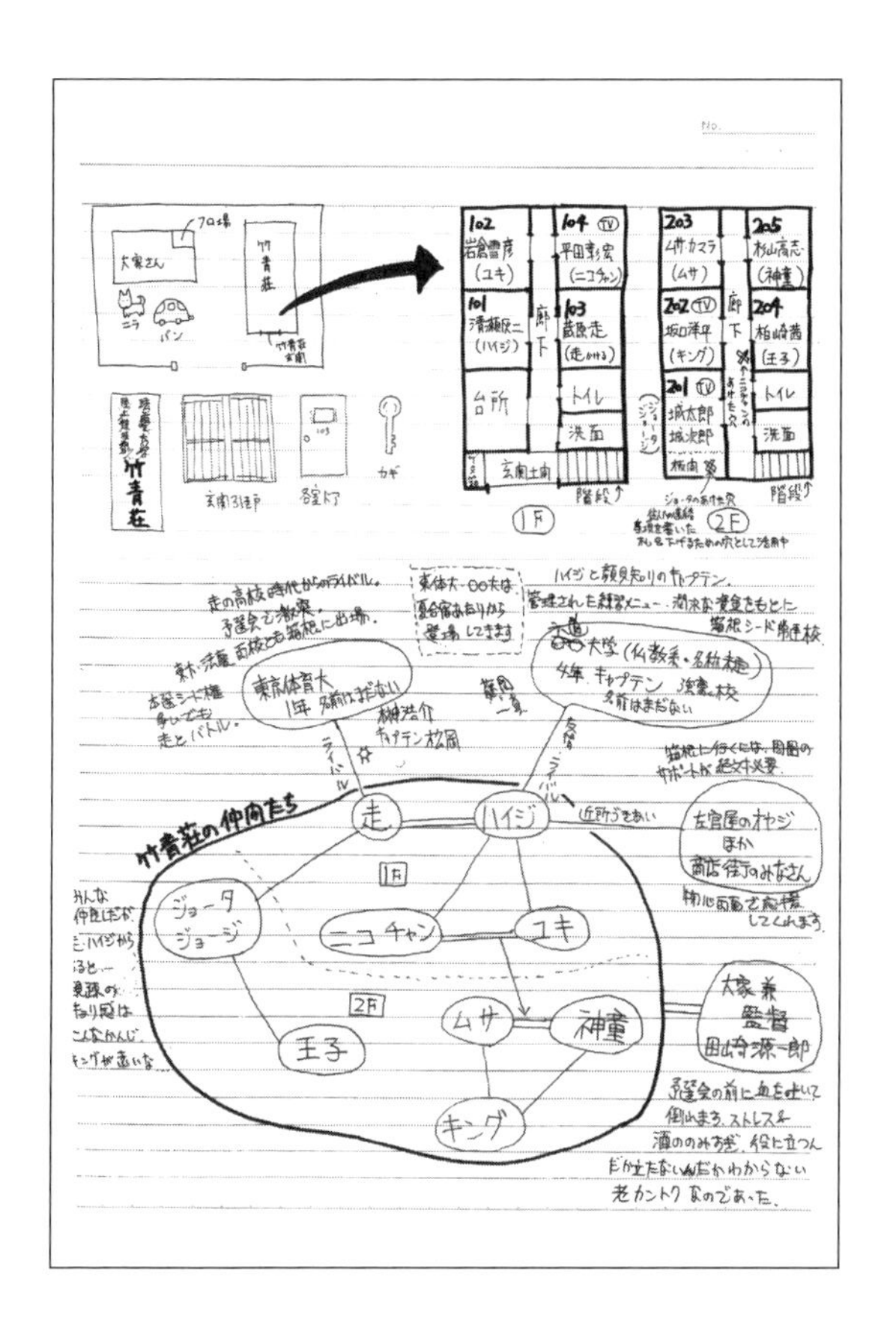

✴**おまけ**

『風が強く吹いている』の設定の一部を大公開！　そしたら大後悔！　階段の位置が建築物としてアリなのかあやしいし、「バン」がバンに見えないし、「ニラ」という謎の物体が描かれておる（正解は犬です）。私の場合、間取りや人間関係を考えることを通して、執筆への意欲がいよいよ高まります。

お口直し・その四

困ったときの神頼み

十五年ほどまえ、浅草・鷲神社の酉の市に行って、超巨大な熊手を買っているホスト軍団を目撃し、「すごいな」と思った。商売繁盛にかけるなみなみならぬ熱意。

しかしいまは、あのホスト軍団の気持ちがよくわかる。小説家も浮き沈みの激しい職業なので、もう最後は神頼みしかないというか、なるべく験をかつぎたいというか、熊手でも箒でもすがれるもんにはすがりたい！　と思うようになった。

話が急にスピリチュアルな様相を呈してきたが、私は初詣には近所の神社へ行くと決めている。べつの神社に浮気はしない。そして渾身で、「今年こそ真面目に努力できる人間になれますように」と祈ったのち、社務所で「商売繁盛」のお札を買う。前年に買ったお札は、お焚きあげＢＯＸ（？）に返却する。

社務所には顔見知りの近所のご婦人がいて、『家内安全』とか『無病息災』のお札じゃなくていいの？」と心配してくださるのだが、「家内には私一人しかいませんし、健康はいまのところ自力でなんとかできているので、ここはもう『商売繁盛』一択で！」と正月早々ガツガツした姿勢を披瀝。「お仕事大変なのね……」とご婦人を怯えさせている。

大変といっても、締め切りまえに毎回ヒーヒー泣いているのは、真面目に努力できないツケがまわったがゆえなので、悪いのは仕事ではなく自分だ。いかな神といえど、私を真面目に努力できる人間に変身させるのはむずかしいらしく、必然的に毎年同じ祈りを捧げることになっているわけだが、むろん神を恨みはしない。ひたすら自身の怠惰を恨む！

……なんの話だっけ。そうそう、買ってきたお札は、頭より高い場所（具体的に言うと電気の笠）に慎重に掲げ、「よし、これで今年こそ大丈夫だ！」と勇気を得て、あとは外出もせず寝正月を続行する。どこがどうスピリチュアルなのかわからなくなってきた。

験をかつぐといえば、財布のなかのお札は、裏表と上下を必ず同一方向にそろえて入れる。金銭面にのみガツガツした姿勢みたいで気恥ずかしいが、そろってたほうが、「はい、これが千円札」とわかりやすくないですか？　ちなみに、それで札の機嫌がよくなるかというとそんなはずはなく（そもそも紙幣に「機嫌」があるわけなかろう）、つぎつぎに我が財布から飛び立っていく。元気でなー！

なにをどうかついでいるのかわからなくなってきたが、まあとにかく、「超高額の壺やサプリを買わされる」とかじゃなければ、「これをすれば心が落ち着く」という習慣はあってもいいかと思っている。

二十二皿目

お題について
――真面目さと胡椒は同量ぐらいで

三皿ぶんをかけて、お寄せいただいた質問に怒濤のごとくお答えしたので、「なるほど、これをもって大団円に持ちこもうってことだな」と思われたかたもいらっしゃるでしょう。しかしすみません、本書はまだ終わらないのです。ほんとに尿切れが悪いんじゃないか、私。もう少々おつきあいいただければ幸いです。

この本を書くきっかけとなったコバルト短編小説新人賞は、「原稿用紙二十五〜三十枚の短編で、応募は新人に限る」という規定を満たせば、ジャンルなどの制約はありません。でも、私が選考を担当させていただいているあいだ、一回だけ、「お題」を設定したことがあります。お題があったほうが、取っかかりになって書きやすいかたもいらっしゃるかもしれない、と思ったためです。

それで編集部のみなさんと相談し、お題を「しまもよう」としました。そのとき応募してくだったみなさま、どうもありがとうございました。「しまもよう」というお題から、多様な作品が生まれるものなのだなとわかって、いつもとはまたちがった楽しさと刺激に満ちた選考会になりました。

ただ、少々気になったのは、わりとみなさま、お題と正面からがっぷり組んで書く傾向にある、ということです。しかも、「しまもよう」を「縞模様」と解釈し、本文中に「縞模様」という言葉をきちんと入れたり、縞の洋服を登場させたりするかたがものすごく多かった。真面目だ……。

いや、真面目なのは決して悪いことじゃありません。たぶん根本的に真面目なひとじゃないと、小説なんて書けないです。なにしろ何週間もパソコンに向かって、黙りこくってコツコツと書かなきゃならない仕事なので、しょっちゅうふらふらとどっかに遊びにいきたくなるひとは、小説を完成まで漕ぎつけられないのではと思います。

とはいえ、物事をあまり真正面から受け止めすぎるのも、真面目が行き過ぎて息苦しくなってしまう可能性大なので、避けたほうがいいかもしれません。小説は一人でコツコツ取り組むものだからこそ、自分を際限なく追いこみすぎて、「もうダメだ、書けない」と危険領域に突入してしまうことも起こりやすいです。「まあまあ、そのへんにしといたら」と、だれも言ってくれないからです。真面目さは自分の首を絞める凶器にもなりえる。適度なちゃらんぽらんさ(なるようになる精神)も必要で、そのあたりの塩梅がむずかしいですね。

お題を出されたときにどう発想するかは、プロの小説家として書いていくときにわりと大事なので、この皿ではそれについて考えてみたいと思います。


プロになると、書きたい小説を好きなだけ書いて暮らせるかというと、実はそうでもありません。たいがいの小説家は、依頼に応(こた)えて書きます。仕事なので、当然ながら発注者(編集者＝出版社)がおり、「こういう感じの小説を書いてほしいのですが」という発注者の意向がある場合、ある程度は踏まえることになります。

特に雑誌やアンソロジーだと、「特集テーマ」が存在する場合がけっこうあります。「新年号なので、お正月の話にしてください」とか「恋愛アンソロジーを編みたいので」といった感じですね。また、企業とのタイアップ小説などもあって、その場合は、「商品名を出す必要はないですが、コーヒーを飲んでいるシーンを必ず登場させてください」といった縛りが課せられることもあります。これらはすべて、「お題」と言えるでしょう。

いま私は、「縛り」と書きましたが、お題を「縛り」ととらえるか、「アイディアの取っかかりをもらった」ととらえるかで、小説に取り組む姿勢が変わってきます。アイディアをゼロから考えるのは、大変な作業です。けれどお題が存在する場合、そこはすでに先方が提示してくれているので、実はラッキーってなもんなのです。

しかしお題がある場合、複数名の小説家の競作形式になることが多い、というのが肝です。つまり、依頼を受けた小説家全員が、お題を真正面から受け止めすぎると、雑誌やアンソロジーやタイアップ広告に、似たような小説ばかりが並ぶことになってしまいます。

そこで、「お題からちょっとずらして、発想を展開させていく」のが大事になってきます。ほかの小説家と設定や内容がかぶるのを防ぎ、雑誌やアンソロジーや広告にバラエティを持たせるよう努めるのは、書き手の良心であり義務であると同時に腕の見せどころでもあります。たとえば、「コーヒーを飲むシーン」を必ず入れなければならないのなら、私だったらまずは、「ものすごく変わったシチュエーションでコーヒーを飲むには、どんな話にすればいいか」と発想すると思います。宇宙空間とか、深海とか。

以前、「クリスマス」がテーマの雑誌の特集号があり、何人かで競作して、のちにアンソロジーになったのですが、ほかのかたたちの作品を拝読してぶっ飛びました。だれ一人として(私も含め)、「いわゆる恋人同士の幸せなクリスマス」を書いていなかったからです。ちょっ、みんな斜め四十八度ぐらいの発想しすぎ……！　でも私は、いままで参加させていただいたアンソロジーのなかでも、その一冊が特に好きですし、そのとき書いておられたほかの小説家のかたたちのことも、「うーむ、信頼できる……！」と勝手に非常なシンパシーを抱いております。やっぱりこうじゃなきゃ、アンソロジーっておもしろくないし、真の意味で「お題を活かす」ってことにはならないよな、と。

また、私はさきほど、「発注者（編集者）の意向をある程度踏まえて書く」と申しました。お題という形ではなく、「次の連載では、明るい群像劇がいいと思うんです」といったように、編集さんが希望をおっしゃってくださる場合ですね。

このとき注意せねばならないのは、もちろん編集さんの意向を丸ごと無視するのは問題なんだけれど、やはり真正面から受け止めすぎてはいけない、ということです。

みなさんが建設会社だとして、「鉄筋コンクリートの商業ビルを建ててほしい」と依頼されたのに、奔放にも木造平屋の一般住宅を建ててしまったら、どうでしょう。「なんか毎回、依頼とぜんっぜんちがう建物ができあがってくるんだけど……」と芳しくない評判が立ち、その建設会社はいずれつぶれる可能性が高いです。

しかし、「いまはビルって気分じゃないんだよな……」というときに、無理してビルを建てても、絶対にいいものはできません。そこで、編集さんからの依頼に「ふんふん」と耳を傾けつつ、脳内では必死こいて、「鉄筋コンクリートのビルかと思いきや、一角に四畳半の茶の間も併設されている建物はどうだろう」と、自分が建てたいものをうまく潜りこませる方法を探るのです。あわよくば、編集さんが気づかぬうちに、鉄筋と見えたものは木製の柱だった（でも強度はちゃんとある）、というところまで持っていくのです。

お題や発注者の意向は、大切にしなければなりません。けれど、最終的に書くのは自分です。編集さんが常に、「あなたがいま書きたいもの」にぴったりフィットな提案をしてくれるとはかぎりません。お題や意向を真正面から受け止めるのは、依頼に誠実に応えているように見えて、実は責任を相手におっかぶせているのと同じです。うまく書けなかったときに、「お題があったから（あるいは、編集さんの意向だったから）、いまいち気乗りしなくて、こういう結果になってしまった」と、逃げ道や言い訳を自分に与えることにつながりかねません。

そうではなく、お題や編集さんの意向を踏まえたうえで、「自分のもの」にするのです。自分が心から書きたいと思えるお題・意向に、全力でさりげなく変形させるのです。そのために一番有効な手段は、「お題や意向からちょっとずらして発想していく」ことです。なぜかといえば、「ずらす」という行為に、そのひとそれぞれの「癖」や「好み」が濃厚に表れるからです。

　真正面からただ受け止めている段階では、無難に他人の意見を反映させただけにとどまってしまいます。そこに「ずらし」を効かせる。すると途端に、あなたしか持ちえぬ色が加わり、そうなると発想もどんどん湧いて（自分の「癖」や「好み」に則ると、思考回路が開きやすくなるためです）、きっと筆も乗るでしょう。

「まだプロデビューしていないから、お題は関係ない」と思わず、「このお題や特集テーマだったら、自分はどういう話を書くだろう」と考えながら、アンソロジーや雑誌を読んでみてください。ある言葉やシチュエーションから発想し、その発想をずらしていく訓練になると思います。発想力を鍛えておけば、お題がない小説を書くときにも応用できるはずです。

　先述した「しまもよう」というお題を例に考えてみますと、なぜ「島模様」と発想するかたが一人もいなかったのかが不思議です。たとえば島で暮らすひとたちの人間模様とか、群島のなかの、それぞれの島の風習や文化のちがい、といったようなことですね。わざわざ平仮名でお題が出されているのですから、「縞」以外の「しま」でもよかったのではないかと思うのです。

　また、「縞」と発想した最終候補作四作のうち、一作は「横断歩道の縞」で、残る三作はすべて「縞の服」でした。それでも、内容はバラエティに富んでいて「いいな」と思ったのですが、やはり全体の傾向として、真正面から受け止めすぎかなという気もします。

作中に一カ所、ちらりと縞の服が登場するだけでも、しましまの影が地面に落ちているという描写があるだけでも、お題をクリアしたことになります。お題をもとに、もっと自由に発想しても大丈夫です。

真面目さは大事です。けれど、真面目にずらす、真面目にひととちがった発想で書く、ということは、もっともっと大事です。もちろん、「このお題なら、真正面からがっぷり取り組んでも、うまく書けそうなアイディアがあるぞ」と思えたときには、あえてずらさず、正攻法で行きましょう。「たまには真面目な小説も書けるんですね！」と株が上がります（たぶん）。そのときはそっくりかえって、

「ええまあ、当方きわめて真面目な人間ですのでね」

とドヤ顔をしておやんなさいませ。私は株が上がったことないので、このへんはあくまでも想像で言っていますが……。

みなさまの健闘をお祈りしております！

二十三皿目

短編と長編について
――「キレと余韻」「構成力」を隠し味に

年明け早々に長期出張が入っていたためもあり、なんだかバタバタしてしまって、この一カ月強の記憶がありません。私の二〇二〇年はすでに訪れているのか？（訪れてるよ）

意識が去年に置き去りにされているらしく、自宅の食料棚を漁（あさ）っていて、「二〇一九年二月」が賞味期限のカップラーメンを、「おっ、期限が切れる寸前のラーメン発見！　ラッキー！」と食べてしまいました。いや、一年近くまえに賞味期限切れてるよ！　おなかを壊すこともなく、おいしくいただきましたが、私の腹が異様に頑丈という可能性もあるので、みなさまはお気をつけください。いまは二〇二〇年です。

自分が西暦何年を生きているのかも忘れがちなので、しかたがないことなのかもしれませんが、わたくしもうひとつ重要なことを忘れていました。

そういえばこのコース料理（？）、「短編の書きかたについて考えてみよう」というところからスタートしたんだっけ！

にもかかわらず次第に、短編に特化しているわけでもないことを取りあげるようになりすぎてしまったかもと反省です。でも、短編も長編もあまり変わらないとも言えるから、まあいいか（出た、ポジティブシンキング！）。

五十枚であっても、五百枚であっても、お話を作りあげる際に大切なのは「慣れ」です。

アナウンサーは、「三十秒でコメントしてください」と言われれば、必要な情報を盛りこんで、きっかり三十秒で話すことができるらしい。これはきっと、常に秒単位で時間を意識し、なおかつ、「私は一秒で三文字しゃべれる。しかし視聴者にとって聞き取りやすいのは、一秒二文字のペースだろう」と（文字数はテキトーです）、自分のしゃべりの速度や能力、滑舌などを把握したうえで訓練を重ねているからでしょう。

小説も同様で、コツコツと書いて、ひとつの話を完結させることを繰り返しながら、「なるほど、五十枚（あるいは五百枚）ってのは、こういう長さなんだな」とご自身の体（脳）に感覚を染みこませてあげるのが肝要かと思われます。そうすれば次に書く際、「五十枚（あるいは五百枚）だから、こういう話にして、こんな展開にすれば、うまく枚数に収まりそうだな」

と見当がつくようになるでしょう。

慣れることと並行して、これまでの皿で説明してきたような、「人称や文章（文体）をどうするか」「どんな構成にするか」「どういう登場人物にして、どう配置するか」などのスキルを磨いていくことも大事です。つまり、書きたいなと思っている小説について、とことん「考える」。

いかに訓練を積んだアナウンサーであっても、なんの情報も原稿もない状態で、「三十秒でコメントしてください」と言われたら困惑するでしょう。そのため、事前に簡単な原稿を作ったり、メモをしたり、情報を集めたりするはずです。そのうえで、「コメントのなかでなにを強調し、過不足なく情報を伝えるか」を検討して、心づもりができてからコメント収録に臨むのだと思われます。

小説を書く際も同様で、「五十枚（あるいは五百枚）でお願いします」と言われたら、人称や文章（文体）をどうするのがベストか考えたり、構成を立ててみたりと、心づもりしてから臨むのが肝心です。闇雲かつがむしゃらに書きはじめるのではなく、自分のなかで曖昧に蠢（うごめ）いているものを、どうしたら小説という文章表現として実体化させられるのか、工夫し戦略を練ってから取りかかる。思考と実践を繰り返す習慣をつけると、「枚数に応じた、ベストな物語」

が思い浮かびやすくなる気がします。

と書いていて気づいたのですが、五十枚（あるいは五百枚）で「なにを書きたいのか」ということが、一番の根幹となってくるかもしれませんね。では、どうすれば自分のなかに眠る「書きたいこと」を見いだせるのでしょうか。

私の場合は、ちょっとした「気持ち」が取っかかりになることが多い気がします。自分ではあんまり気づいていなかったのですが、どうやら私は感情過多な傾向にあるようでして、「いやあんた、しょっちゅうぷんぷんしたり、『この作品が素晴らしいと思うんだよ！』って感激したりしてるよ」と友だちに指摘され、「そういやそうだな」と赤面しました。

実生活において感情過多なひとがそばにいたら、暑苦しくてほんといやだろうと思うのですが（なので私は、だれのそばにもなるべくいないように心がけています）、「気持ちが（正の方向でも負の方向でも）高まる」「感情を揺さぶられる」瞬間に、「そうだ、今度はこういう小説を書いてみるのはどうかな」とアイディアが浮かぶことがけっこうあります。「自分がどんな気持ちになったのか。それはなぜなのか」を記憶しておくと、小説に活かせるのではないかと思います。

個人の感情面を掘り下げてみるのは大事で、まあぶっちゃければ、自分自身のなかにひそむルサンチマンとか怒りとか、あるいは喜びとか感動とか「こうなるといいな」という希望とか、そういった気持ちのなかに、物語のタネ、小説を書かずにはいられない原動力のようなものが眠っています。その意味では、感情過多も悪いことばかりではなさそうです。ま、身近にいるひとにとってはまじで迷惑だろうから、ぷんぷんはなるべく控えたいですが。

もちろん、感情面を取っかかりに話を発想するのが苦手なかたもおられるでしょう。その場合、やはり「考える」ことが大事だと思います。自分について、友だちや家族などの身近なひとについて、街でふと見かけた光景について、社会について、この世のありとあらゆることについて、気になることがあったらいろいろと思いめぐらし、調べ、考えつづけるのです。そこからきっと、「ああ、私はこういうことを書きたいんだな」という物語のタネが芽生えていくでしょう。

アナウンサーは、残酷で理不尽な事件や、愛らしい子パンダ誕生のニュースなどを伝えねばならないですよね。そのとき、アナウンサー本人の心のなかには、さまざまな感情や思考(「ひどい、許せない」や「きゃわわー」など)が渦巻くことと思います。しかし、個人的な思いを前面に出しすぎては、怒りと涙でニュース原稿を読めなくなったり、肝心の情報がちゃんと伝わらなかったりしてしまう。そのため、自身の思いは大切に心にとどめつつ、なるべく淡々と客観的にニュース原稿を読みあげ、どう受け止めるかの判断や考えは視聴者に委ねる、という姿勢でいるらしいと見受けられます。

小説を書く際も同様で、作者本人の感情や思考がなければ、なにもはじまらないし、「これを書きたい！」という情熱も生まれない。けれど、書いた小説そのものに、押しつけがましいほどの作者の生（なま）の感情や主張をこめすぎたら、暑苦しくなってしまいます。作者はあくまでも作品の黒衣（くろご）であり、その作品からなにを感じ、考えるかは読者に委ねる。つまり書く際には、個人的な感情と思考を内包しつつ、情熱と客観性のバランスを取ることが大事だと言えるでしょう。

一作一作書いていくうちに、自分の書きたいことがどんどん見えてくるものなので、「えっ、いまものすごく書きたいことなんて、明確にないんだけど」というかたも、あせったり絶望したりしなくて大丈夫です。でも、何作書いても、「これを書きたい！」という情熱が湧かない場合は、ちょっと考えどころです。いまは小説を書くときではないのかもしれないからです。

そういうときは無理をしないほうがいいです。無理をすると、小説を書くことが苦しいばかりになってしまって、しまいには「小説なんてきらい」という心境に至ってしまう危険性があります。愛したもの、信じたものをきらいになるのは、とてもつらいことです。自分自身を否定し裏切ったかのような気持ちになるからです。

そんなつらい境地に至るのを避けるためにも、「書きたいものがないな」と感じたときは、無理をしないほうがいいと思うのです。小説を書かなくたって、べつに死にゃあせんからな。それぐらいの気楽な気持ちで、執筆のことは一時忘れ、ぐうたらにでも真剣にでもいいので日々を暮らしてください。その際、自分が心底から楽しいと感じられることはなんなのか、なにに喜び、なにに苦しむのか、社会や生活のどんなところに引っかかりを覚えるのか、なるべく考え、向きあってみてください。そうするうちにたぶん、「なんだか書きたくなってきた！」とか、「私は小説を書きたいんじゃなく、これをしたかったんだ！」といった発見の瞬間が訪れるのではなかろうか、と思います。

ちなみに私は現在、ＥＸＩＬＥ一族を好きになったおかげで人生に対するやる気に満ちあふれており、「ここ何年かゆるめのスケジュールだったが、そろそろ仕事をしたくなってきた！」と思っているのですが、小説を書いてる暇があったらＥＸＩＬＥ一族のコンサートを見たい気もして、しかし書かなきゃおまんまの食いあげでもあるので、千々に乱れる心地がします。ここから導きだされる教訓は、「小説を書くことのみで生計を立てるのはリスクが高いし、いざというときに案外自由がきかないので、新人賞を受賞したからといってすぐに会社を辞めたりせず、しばらくはほかの収入手段も持っておいたほうがいい」です。

まあとにかく、縷々述べたとおり、短編だろうと長編だろうと心がけることや手順などは基本的には変わりません。「小説を書く」という点では同じだからです。もちろんひとそれぞれ、「強いて言えば短編のほうが得意」といった微妙な向き不向きはあるのでしょうけれど、短編を書けりゃ、長編も書ける。逆もまたしかり、です。

ただ、短編と長編では使う筋肉がちょっとだけちがうかもしれないな、と感じるのも事実です。長編連載を二本ぐらいつづけたのち、ひさしぶりに短編を書いたら、「あれ、しまった。ちょっと枚数の読みを誤って、お尻が窮屈になってきたぞ」ということがたまにあります。短編の勘がにぶってしまったのでしょう。しかしそういうときも、慌てず騒がず、まるで最初からそう意図していたかのように、ラストにかけて怒濤の畳みかけを繰りだし、「お尻が窮屈などでは断じてない」ふりでシレッと「完!」にすればよろしい。顔色ひとつ変えずに全力でリカバリーする肝っ玉の太さ、大事だなあ（またポジティブシンキング）。

短編が何本かつづいたあとに長編を書くときはどうかというと、これはあまり苦労しません。「ちょっと話が脱線しちゃっても、まだまだ枚数あるしな」と、比較的のんびりかまえていられます。そう考えると、どちらかといえば私は長編脳なのかもしれないですね。短編を書くの好きですが。特に、精神に張りときらめきがあるときは、断然短編のほうが乗って書ける気がします。張りときらめきがあるの、一年のうち十日ぐらいしかないですが。

たぶん、「小説を一作書く」という意味において、かかる手間と労力（書きたいことをどう見せればいいか考え、規定の枚数のなかで最善になるよう努める）は、短編でも長編でも同じです。短編の場合、一作ごとに「お話づくり」をしなきゃならないので、つまり五十枚の短編を十作書くのは、五百枚の長編を一作書くより、十倍の手間と労力がかかっていると言えるわけです。短編の原稿料、十倍に上げてほしい。え、「むしろ長編の原稿料を十分の一にする」って？　すみません、私がバカでした。どちらの原稿料もどうか現状維持でお願いします。

短編で使う筋肉は「引き算の発想力」、長編で使う筋肉は「とにかくコツコツと書く粘り強さ」ではないかと思います。

本書の三、四皿目でも「短編の構成」について触れましたが、短編を書く際の基本となるのは、「キレと余韻」「序破急（じょはきゅう）」です。スパッと話に入り、なんらかのターニングポイントをきっかけにドッと盛りあがって、スッと終わる。「スパッ、ドッ、スッ」を心がけてみてください。って、私は長嶋茂雄氏か。しかしそうとしか言いようがないんだよ〜。ひとによって書きかたや発想法ってちがうから、理屈で説明するの無理なんだよ〜。

なにはともあれ短編は鮮やかに、「キレと余韻」「序破急」を重視して書く。たまに、「結局、このあと登場人物がどうなったのかわからなくてモヤモヤしました」という感想が寄せられるかもしれませんが、そこを各々(おのおの)自由に想像するのが短編の醍醐味なんじゃないのか！　聞こえん！　その感想、わしゃあ聞こえん！　こんぐらい強気で、迷うことなく鮮烈な短編を書いてください。

では、「短編は書けるんだけど、長編がどうもうまくいかない」という場合は、どうすればいいか。たぶんそういうかたは、さっぱりした性格の持ち主なのだろうと思うので、ご自身の粘着性を高めてください。って、そんな簡単に性格を変えられるもんなら、わしゃあとっくにもっとさっぱりした人間になっとるわ！

長編となると息切れする、という場合は、やはり「構成力」が肝になってくる気がします。本書の二十一皿目、「構想と構成の練りかた」で述べたように、まだ長編を書き慣れていないうちは特に、見切り発車せず、構成という地図を準備してから書きはじめたほうがいいのではないかと思います。「どういう登場人物にしようかな」「ここにこんなエピソードがあるとよさそう」と案を練っていると、思ってもいなかった展開がふと浮かんだりもしますので。

あと、「登場人物を増やす」のも手です。五十枚の短編で「主要登場人物が八人」というのはやや多すぎる気がしますが、五百枚の長編だったら八人それぞれについて十全に書くことも可能でしょう。

ただしここで気をつけねばならないのは、「主要人物Bが登場したのをきっかけに、新たな展開を見せる。それが一段落したと思ったら、主要人物Cが登場したのをきっかけに、また新たな展開を見せる」というお話づくりをなるべく避けることです。「新しい人物の登場によって、事態が展開する」のは、もちろん妥当性があります（たとえば、「目撃者の登場によって、殺人事件の捜査に進展が生じる」など）。しかしこれが連打されると、「各登場人物の紹介を延々と読まされてる感じ……」「なんかご都合主義っぽくないか？」という印象を読者に与えてしまうからです。

コツは、「なんらかの外的要因（ハプニング、トラブルなどの出来事＝エピソード）によって、人物同士の関係性に変化が生じたり、気持ちが揺れ動いたり、登場人物がある言動をせざるをえなくなったりし、それによって新しい展開へと突入していく」という発想をすることです。この場合、エピソードを通して登場人物（新たな登場人物を含めてもいいでしょう）の内面を明らかにすることができるので、「このひとはこういうひとなんだな」と比較的自然に読者に印象づけられます。登場人物の性格や感情を読者に把握してもらえれば、共感し思い入れてもらうこともできる。すると、「新しい展開」に、よりいっそう興味と関心を抱いて読み進めてもらえるはずです。

つまり、「新たな人物の登場→新展開」一辺倒ではなく、「なんらかのエピソード（思いがけない事態など）→登場人物の葛藤によって引き起こされる新展開」というパターンも適宜織り交ぜる。この二つを混在させるだけでも、「登場人物の紹介的単調なエピソードの羅列」にならず、物語にうねりを生じさせることができるはずです。うねりが生じれば、リズムに乗って書くことができ、さらなる展開も思いつきやすくなります。

話が進展するにつれ、登場人物への理解と共感、思い入れが深まるのは、読者だけでなく作者も同様です。そうであるからこそ、登場人物と伴走し、五百枚の長編であってもラストまで書ききることができるのです。「登場人物の履歴書的紹介をし、そのあと履歴書どおりのエピソードが展開する」のは、絶対に得策ではないと思います。登場人物はエピソード（出来事）に奉仕するために存在するのではないからです。

私たちは生きて生活するなかで、なんらかの出来事に遭遇するつど、なにかを感じたり、迷ったり考えたりし、そのうえでアクションを起こしたり起こさなかったりしますよね。起こしたり起こさなかったりしたアクションが、だれかの共感や反発を呼んだり、出来事の新たな展開へとつながったりする。小説の登場人物も、私たちと同じです。履歴書には到底書ききれぬ思考と感情を持ち、出来事に必死に対応することによって、新たな展開を呼び起こす存在なのです。エピソードに奉仕するのではなく、エピソードのなかで生き、考え、感じ、それゆえにまた新たなエピソードを生じさせるのが登場人物なのだ、と発想してみてください。

うまく説明できたかわかりませんが、みなさまが短編も長編もなるべく楽しみながらお書きになれますよう、お祈りしております。コツは、コツコツと！（オヤジギャグではない）　短編の場合はそこに切れ味をひそませて、長編の場合はコツコツ度合いをより高めて粘着質に！です。

二十四皿目

プロデビュー後について
――旅立ちを見送る書き下ろし風味

小説を書くとき、なにに気をつけ、どうすればいいのか。自分なりに考えてみながら、あれこれしたためてきました。しかし、各人それぞれのお好みやお考えがありますから、本書ではお役に立てなかった、という可能性も高い。そこで最後の皿では、「小説の書きかた」についての優れた手引き書をご紹介できればと思ったのですが、一冊も浮かばないまま一時間ぐらいパソコンのまえでフリーズしています。

これはどうしたこと!? と自問してわかった。そういえば私、小説の書きかた的な本を読んだことがない。読んだことないんだから、なにも浮かばなくて当然だ。

ずっと自己流で小説を書いてきたことがばれてしまった……。免許無皆伝なのに木刀(ぼくとう)を振りまわしてるようなもので、危ないっ、みんな逃げてー! まあ、免許や資格がなくとも、だれでも楽しく読んだり書いたりできるのが小説のいいところです。とはいえ、「手引き書を読んだことないのに、手引き書的なものを書くな」という話で、本当に面目ない。

　私が読んだことのあるたぶん唯一の手引き書は、『スクリプトドクターの脚本教室・初級篇』と『中級篇』（三宅隆太・新書館）です。これは映画のシナリオについての本なのですが、技術のみならず心の持ちようとか発想法についても丁寧に触れられていて、小説を書くときもとても参考になるなと思いました。創作物を味わうヒントにもあふれているので、実作をしないかたにも、編集者志望のかたにも、おすすめであります。

　小説の書きかたについては、いい本がたくさん出版されていると思いますので、本屋さんでパラパラと眺めて、ご自分に合ったものを参考にしてみてください。ただ、どれだけ理論武装したとしても、やはり一番大事なのは実践で、実際に書くなかで試行錯誤していくのが手っ取り早い気もします。とはいえ、がむしゃらかつ闇雲に書いても、絶対に進歩はありません。

　本書で述べてきたように、たぶん小説にはある程度の「コツ」や「型」があって、それをパッと感受して自作に取り入れたり、あえてはずしたり、ということが比較的容易にできるひともいれば、どれだけ小説を読んだり書いたりしてもなかなか感受できない、というひともいるでしょう。後者の場合は特に、手引き書をちょっと読んでみて、「コツや型ってこういうことなんだな」と参考にするのが効果的なのではないか、と思います。理論だけでは小説は書けないですが、感性だけでも書けないものだからです。

感性は自力で磨き、鍛えあげていくほかない部分が大きいけれど、理論は手引き書や先行作などから学び、自分なりにアレンジして自作に反映させることができます。理論と感性のバランスを取りながら、試行錯誤して実践に当たっていただければ、きっとより自由に、ご自分の思いを小説で表現できるようになっていくはずです。


本書で私は、主に「エンターテインメント小説でプロデビューしたいひと」を想定し、あれこれ書いてきました。でも、小説をエンタメかそうじゃないかで分類するのは、時代錯誤であると同時に現実の状況に即していないとも思っています。ただ、投稿作を拝読していて、「ものすごくいいものを持っておられるのに、先行の小説がこれまで築きあげてきたことに無自覚であるがゆえに、十全に才能を発揮できていないのではないか」と感じることが多々ありました。つまり、感性に頼りすぎてしまって、構成や人称、登場人物の配置などにおいて、小説表現に適したコツや型をうまく利用しきれていない傾向を感じたのです。これは非常に惜しい。立ってるものは親でもコツでも型でも使え、の精神が大事です。

そこで、コツや型がどちらかといえばはっきりしている、「エンタメ的」と言われる小説を想定し、いろいろ説明してきました。でも、これはエンタメにかぎらず、重厚だったり先鋭的だったりすることが多いとされる「純文学」であっても、ある程度は応用できるのではないかと思います。なぜならエンタメ小説も純文学も、いや、小説にかぎらず言語を用いる創作物はすべて、「物語」という意味では共通しているからです。物語には必ずと言っていいほどコツや型があること、なぜあるのかということについては、縷々述べてきたとおりです。

コツや型をどの程度自作に採用するかは、個々人の好みや考えかた次第ですが、コツや型をまったく踏まえず、完全に無視して、創作をしようと試みるのは、かなり無謀で遠まわりな道のりを選択することなのではと、お節介ながら気が揉めます。本書がみなさまのお役に立てなかったとしても、ぴったりフィットな手引き書がきっとあると思いますので、「コツや型がどうもピンと来ない」というかたは、ぜひ本屋さんにレッツらゴーしてください。

また、小説を書いているひと全員が、なにがなんでもプロデビューを目指さなきゃあかん、ということも、当然ながらまったくないですよね。趣味として小説を書きたいのならば、やはりなによりも、ご自身の気持ちの赴くまま、奔放かつ自由に取り組むのが一番だと思いますし、そうすることによって感じる「楽しい」という気持ちが大切だと思います。

ただ、「奔放に書いていたら行き詰まった」とか、「自分が書きたいことを十全に表現できていない気がする」という局面も訪れるかもしれません。そういうときに、ちょっと立ち止まって「考える」ようにすると、また新たな発想が湧いたり、コツや型といった技術を体得できたりして、いっそう楽しく小説を書けるのではないかと思います。その際に、本書が少しでもご参考になればいいのですが。

プロデビューを目指していないかたにとっても、小説を読む、書くという行為が、いつまでも身近に寄り添ってくれる、親しい友だちのような存在でありますようにと願っております。

さて、プロになったとしましょう。そうしたら心がけるべきは、

一、納期を守る。
二、体調管理に努める。

です。ちなみに私はどちらもできていないので、もうみなさまに申しあげられることはなにもありません。「このうえは腹かっさばいて各方面にお詫びする所存でござるが、せめて介錯（かいしゃく）を、介錯をお願いいたす……!」「なにをちょこざいな。うぬのような極道入稿をする輩（やから）に、

介錯など無用！」「そんな殺生（せっしょう）な……！　いや文字どおり殺生でござるよ、介錯なしで切腹なんて！」

一人二役で時代劇ごっこをしてる場合じゃなかった。とにかくみなさまは締め切りを守ってください（棒読み）。あと、ずっと机に向かってると運動不足になるので、なるべく散歩などをするようにしましょう（棒読み）。

小説家には有休やボーナスや退職金がありません。それはちょっと不安だなと感じるかたは、「二股（ふたまた）ってよくないしなー」なんて交際における倫理観みたいなことを言わず、兼業してください。

私は本が三冊ぐらい出るまで、古本屋さんで働き、寝るまえの二時間ほどと休日に書く、というペースでした。連載のご依頼をぽつぽついただけるようになって、「これは体力的に厳しいな」と思ったため、書く仕事のみに絞りましたが、兼業期間中は生活のリズムを作りやすかったし、半ば強制的に気分転換することにもつながったので、けっこうよかったです。

心身の負担になるほど働いては絶対にいけないですが、性格的に「いきなりフリーランス」はためらわれる、というかたも多いでしょうから、その場合は無理をせず、「兼業しながら様子見」がいいと思います。べつのお仕事もしながら、素晴らしい小説を書いておられるかたは大勢いらっしゃいます。小説の書きかたに絶対のルールがないのと同様、「不退転の決意で、歯を食いしばって」的な悲壮なる姿勢を要求されず、「空いた時間に、自分なりの真剣さで取り組めばそれでいい」という、自由さ（ある意味、ちゃらんぽらんさ）があるのもまた、小説のいいところです。

気をつけたほうがいいのは、「依頼をなんでもかんでも引き受けてしまう」という状況に陥らないようにすることです。これはフリーランスあるあるだと思うのですが、「せっかくの依頼を断ったら、次はないだろうな」と考えてしまいがちなんですよね……。

私もそうで、結果として休みが取れないまま三年ぐらい馬車馬のように働いていたら、心身が絶不調になってしまいました。「こりゃいかんな」と反省し、以降、スケジュールが立てこんでいるときや、私ではご依頼の主旨を踏まえてうまく書くことができないだろうなと推測がつくときは、理由を述べて丁重にお断りするように方針転換しました。どうしても都合がつかず、一度はお断りしてしまっても、「いまはスケジュール空いてますか?」「今度はこういう企画があるんですが、どうですか?」と、ありがたくもまたお声がけくださるかたもいらっしゃいます。お引き受けした仕事に全力で取り組んでいれば、どこかで見てくれているひとは必ずいるので、決して無理はしすぎないでください。

とはいえ、仕事を選り好みしすぎたり、「完璧な原稿を書けないから」と尻込みしすぎたりするのも考えもので、そのあたりのバランスがむずかしいですよね。

肝心なのは、依頼を引き受けるにせよ断るにせよ、「相手が存在する」のを忘れないようにすることだと思います。家に籠もって書いていると、自分一人で全部を決め、自分一人で仕事をしている気持ちになってしまいがちですが、実際はそうではありません。依頼者は、「どうしたらこの企画をいいものにできるか」をいろいろ考えたうえで、「あなた」に打診してくれたのです。

その考えや思いを無下にすることなく、断るにしても、なるべくちゃんと理由を述べ、お詫びする。引き受けるときも、相手の意図や要望をある程度把握するよう努める。つまり、メールでもいいからきちんとコミュニケーションを取るようにし、常識的かつ円滑な人間関係を築いたほうがいいと思います。相手がどう考えても常識から逸脱した無礼千万なやつだったら、
「ふざけるな」と静かにブチ切れちまいますけどね、ええ、ええ。

依頼者（編集さんなど）と信頼しあい、コミュニケーションを取りやすい関係にしておけば、問題が発生しても話しあって解決することができます。また、「なぜ俺にモテテクを聞く……？」といったような、悲劇を呼び起こしかねない無茶振りも減るでしょう。相互理解がま

あまあできていれば、「三浦にモテテク聞いても無駄だから、漫画の特集号のときにエッセイを依頼するとしよう」と、先方も適材適所の打診をしやすくなるためです。

自分に合った（あるいは、自分では発想できなかったような）企画の依頼を通して、作品世界が広がったり深まったりすることはあるので、あんまり選り好みや尻込みをしすぎるのもよくないかもな、と思う次第です。それよりは、依頼をしてくれた相手の存在を尊重するように心がけたほうが、ずっと建設的ではないでしょうか。

べつにパリピなみの社交力は必要ないですし、自己アピールしろと言ってるのでもありません。そもそも社交力に欠け、自己アピールしようにももじもじと挙動不審になるばかりだから、家に籠もっていてもできる仕事に就くほかなかった、という小説家のかたは多いと見受けられます（他人事（ひとごと）のように言ってみた）。相手の考えや思いに耳を傾け、自分の考えや思いもなるべく伝えるようにする。ひとづきあいにおいて大切なことを、できるかぎり実践すればいいのです。

小説に真剣であるがゆえに、「こんな原稿じゃダメだ」「この企画は自分には合わないいんじゃないか」と考えすぎてしまって、だんだん書けなくなるかたがおられます。書くのが怖くなってしまうのだと思います。その気持ちもとてもよくわかりますが、全力で取り組んだら、あとの判断や評価は編集さんや読者に委ね、次の作品に取りかかってください。そういう、いい意味での「開き直り力」も大事な気がします。書くときは一人でも、あなたは決して一人ぼっちで仕事をしているのではないからです。

「あなた」に依頼をしてくれたひとや、「あなた」の本を買って読んでくれるひとを信頼し、依頼を引き受けるときも断るときも誠実に判断して、引き受けたとなったら全力で書く。「なーんだ、それだけのことか。どんな仕事にも共通する、フツーのことじゃん」と、気楽にかまえていただければ幸いです。

「『それだけのこと』なのに、なんでおまえは締め切りを破ってばっかなんだ」と言われたら、ぐうの音も出ませんが。やっぱり考えすぎなのがいけないのかしらねえ、ええ、ええ（正解は寝てばっかりいるから！）。

まんのお越しをお待ちしております――あとがき

げふり……。みなさま胸焼けしていませんか？　やはり二十四皿は過剰接待（？）だったか。すみません。
明らかに様子のおかしい皿もありましたが（本編参照）、なんとか持ちこたえてフルコースをご提供できたのではないかと思っております。ポジティブシンキング。あ、なるべくポジティブシンキングを心がけるというのも、小説を書く際には大切かもしれません。むっつり黙って一人でしこしこやるしかないので（なにか語弊のある言いまわしになってしまった気がしなくもないが、まあいい）、気持ちを前向きに保つようにしておかないと、「ぎゃー、もうダメだ！」って放りだしたくなりますからね。
こう見えて私は根暗なので、しょっちゅう「もうダメだ……」とふて寝していますが。起きて書け。あと、「こう見えて」って、これは映画や漫画じゃないんだから、どうも見えとらん。いやはや、文章表現ってむずかしいです。

でも、大勢の役者さんやスタッフが協力して作りあげる映画や、お話を考えて下描きしてペン入れして仕上げしてという漫画に比べると、小説は紙とペンがあれば書けるし、要するお金や人員も格段に少なくてすむ、とも言えます。つまり、「書いてみようかな」と気軽に取り組みやすいし、より多くのひとに門戸(もんこ)が開かれている表現手段なのではないでしょうか。

コバルト短編小説新人賞の選考をやらせていただき、十四年のあいだに一番感じた変化は、「文章力のあるひとが増えた」です。これはたぶん、スマホの浸透などによって、日常的に文章を書く機会が増えたからじゃないかな、と思っています。手紙でやりとりしていた時代は、よっぽど筆マメなひとでないかぎり、個人的な思いや考えを文章にしたためることなんて、そうはなかったですものね。たぶん写真や映像にも言えることで、機械の進歩が個々人の表現の機会を増やした。とってもいいことだなと感じます。

ただ、写真や映像を撮り慣れたからといって、じゃあ私が傑作を撮れるか、プロのカメラマンや映画監督になれるかというと、もちろんそうではありません。小説も同様で、文章を書ければ小説を書けるのかといえば、なんとなくちがう気がする。

「文章を書く」と「小説を書く」の隔たりを埋めるというか、両者をつなげるには、なにが必要なのか。私は、「情熱を持って小説について考えつづける」ことしかないのではないか、と思っています。考えて、書く。とはいえ、いきなり闇雲に考えても疲れてしまいますから、「私はこういうことを考えたり、気をつけたりしています」という点を本書でご説明しました。もし少しでも、みなさまがお書きになる際のヒントや取っかかりになれていればうれしいです。

コバルト短編小説新人賞に投稿してくださったみなさま、本書の連載時にお悩みや質問を寄せてくださったみなさま、本当にどうもありがとうございました。小説に対するみなさまの真摯な姿勢をびんびん感受することによって、私もいよいよ情熱の炎をたぎらせ、あれこれ考えをめぐらせることができました。

歴代の担当編集さんをはじめとする、コバルト編集部のみなさまにも、心から御礼申しあげます。みんなで真剣に投稿作について議論したり、選考会が終わってからバカ話に興じたりするのは、とても楽しく勉強になる時間でした。

うつくしくも不穏さのある装画を描いてくださったのは、三宅瑠人さんです。小説を書くという行為の本質を見事に表現していただき、深く感謝しております。かっこいい装幀にしてくださったＳＡＶＡ　ＤＥＳＩＧＮさん、カバーのフランス語訳監修をしてくださった岡元麻理恵さん、すべてにおいて細やかにご対応くださった単行本担当の宮崎温子さんにも、感謝の投げキッスをば……。え、いらない？　こりゃまた失敬。ありがとうございました。

私は今後も小説をはじめとする創作物を楽しく味わい、自分でもぼちぼち書きつづけていければいいなと思っています。みなさまにとって小説を書くのが、苦しくも楽しい身近な表現手段でありますようにとお祈りしつつ。

では、本日はこれにて閉店いたします。どうもありがとうございました。またのお越しをお待ちしております。

三浦しをん

二〇二〇年八月

『マナーはいらない　小説の書きかた講座』

初出一覧

WebマガジンCobalt
隔月連載「小説を書くためのプチアドバイス」
2016年6月〜2020年2月
二十四皿目とお口直しは書き下ろしです。
単行本化にあたり改題し、加筆・修正しました。

三浦しをん

1976年、東京都生まれ。
2000年『格闘する者に○』でデビュー。
2006年『まほろ駅前多田便利軒』で直木賞、
2012年『舟を編む』で本屋大賞を受賞。
ほかの著作に、『あの家に暮らす四人の女』(織田作之助賞)、
『ののはな通信』(島清恋愛文学賞、河合隼雄物語賞)、
『愛なき世界』(日本植物学会賞特別賞)などがある。
近著にエッセイ集『のっけから失礼します』。

マナーはいらない

小説の書きかた講座

✴

2020年11月10日　第一刷発行
2024年 8 月 6 日　第六刷発行

著　者　三浦しをん

発行者　今井孝昭
発行所　株式会社 集英社
〒101-8050
東京都千代田区一ツ橋2-5-10
03-3230-6268／編集部
03-3230-6080／読者係
03-3230-6393／販売部(書店専用)

印刷所　TOPPAN株式会社
製本所　株式会社ブックアート

造本には十分注意しておりますが、印刷・製本など製造上の不備がありましたら、お手数ですが小社「読者係」までご連絡ください。古書店、フリマアプリ、オークションサイト等で入手されたものは対応いたしかねますのでご了承ください。なお、本書の一部あるいは全部を無断で複写・複製することは、法律で認められた場合を除き、著作権の侵害となります。また、業者など、読者本人以外による本書のデジタル化は、いかなる場合でも一切認められませんのでご注意ください。

©2020 Shion Miura Printed in Japan ISBN 978-4-08-790015-6 C0095
定価はカバーに表示してあります。

集英社　三浦しをんの本

のっけから失礼します

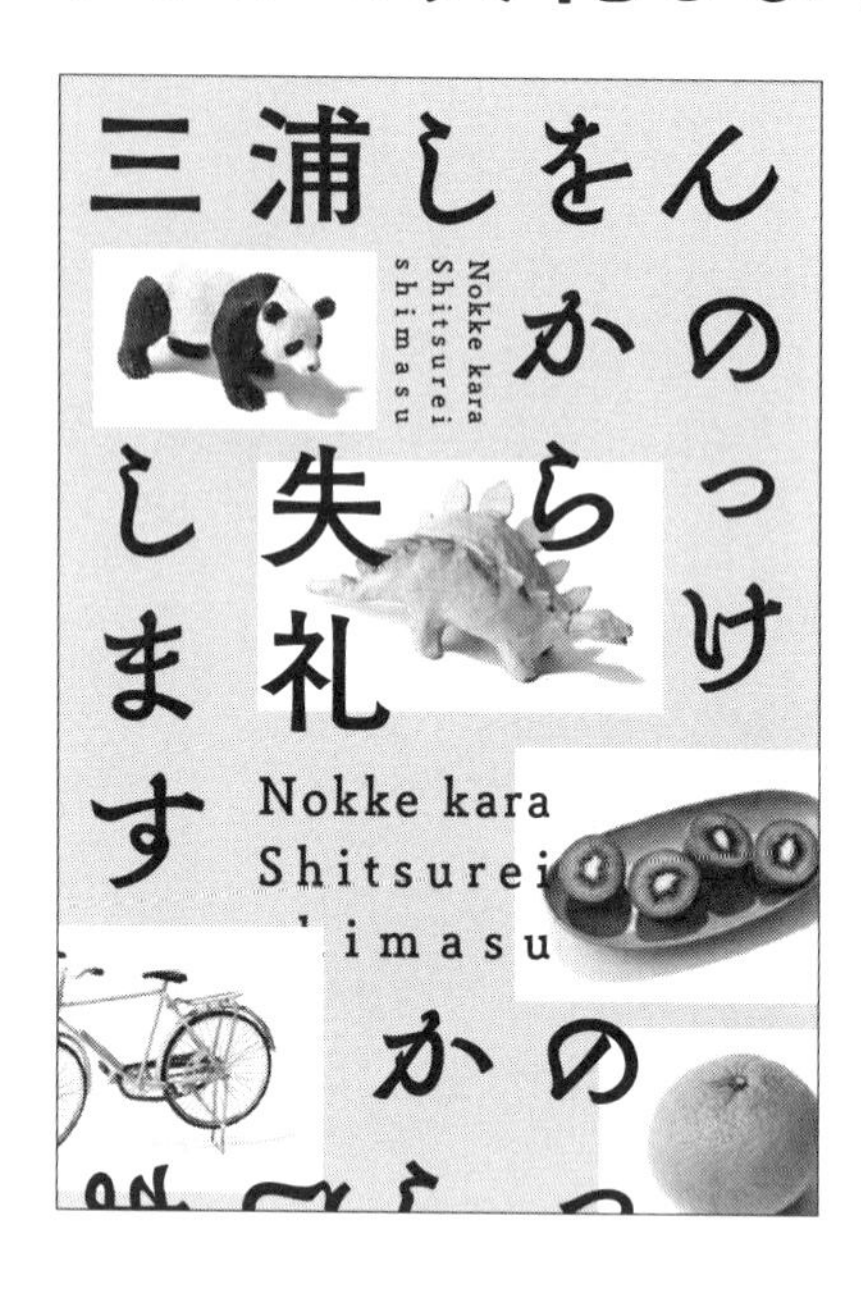

ありふれた日常が
こんなにも笑い(ときどきほろっと)に
包まれているなんて！

✷

特技はぐうたら、なのに小さな事件が降りかかる。
三浦しをんワールドが炸裂する、抱腹絶倒の１冊。

雑誌「BAILA」での連載に
とっておきの書き下ろし５本を加えたエッセイ集。

四六判／単行本　好評発売中！

集英社オレンジ文庫　三浦しをんの本

政と源

東京都墨田区Y町。
つまみ簪職人の源二郎。
堅物な元銀行員の国政。
弟子の徹平と賑やかに暮らす源と、
妻子と別居しひとり寂しく暮らす政。
ソリが合わないはずなのに、なぜか良いコンビ。

73歳のふたりが巻き起こす、
心温まる人情譚！

文庫判　好評発売中！

集英社文庫　三浦しをんの本

光

天災ですべてを失った中学生の信之。
共に生き残った幼なじみの美花のため、彼はある行動をとる。
二十年後、過去を封印して暮らす信之の前に、
もう一人の生き残り・輔が姿を現す。
あの秘密の記憶から、今、
新たな黒い影が生まれようとしていた――。

✦

理不尽をかいくぐり生きのびた魂に、
安息は訪れるのか。渾身の長編小説。

文庫判　好評発売中！

集英社文庫　アンソロジー

短編少女

人気作家9人が
「少女」をキーワードに紡ぐ――。

✷

「てっぺん信号」三浦しをん
「空は今日もスカイ」荻原浩
「やさしい風の道」道尾秀介
ほか、短編9本を収録した
珠玉のアンソロジー。

文庫判　好評発売中！

コバルト文庫　オレンジ文庫

「ノベル大賞」

募集中!

✷

小説の書き手を目指す方を募集します。
恋愛、ファンタジー、コメディ、ミステリ、ホラー、SF、etc……。
幅広く楽しめるエンターテインメント作品であれば、
どんなジャンルでもOK!

大　賞：正賞と副賞300万円
準大賞：正賞と副賞100万円
佳　作：正賞と副賞50万円

［応募原稿枚数］
40文字×32行で80〜130枚

［しめきり］
毎年1月10日

［応募資格］
男女・年齢・プロアマ問わず

［入選発表］
オレンジ文庫公式サイト、
および夏ごろ発売の文庫挟み込みチラシ紙上。入選後は文庫刊行確約！
（その際には、集英社の規定に基づき、印税をお支払いいたします）

＊応募方法に関する詳しい要項および応募方法は
公式サイト（orangebunko.shueisha.co.jp）をご覧ください。

「短編小説新人賞」
募集中!

✴

原稿用紙 25〜30 枚というビギナーにとって
挑戦しやすいボリュームで力試しに最適!
ここで力をつけ、ノベル大賞(旧ロマン大賞を含む)で見事受賞、
デビューを実現した作家がたくさんいます。
あなたのとっておきの自信作をお待ちしています!

入選:20万円
佳作:10万円
*応募作品はWebで公開されることがあります。

[応募原稿枚数]
400字詰め原稿用紙25〜30枚。

[しめきり]
3、6、9、12月末日
※しめきり後に届いたものは、自動的に次回応募分として受け付けます。

[応募資格]
男女・年齢・プロアマ問わず

[入選発表]
締切月より 4 カ月後に、集英社オレンジ文庫公式サイトで発表予定。

*応募方法に関する詳しい要項および応募方法は
公式サイト(orangebunko.shueisha.co.jp)をご覧ください。